Plano de Aula

40 semanas

3º ano

HISTÓRIA

2ª EDIÇÃO

Kelly Cláudia Gonçalves

Plano de Aula
40 semanas

3º ano

HISTÓRIA

2ª EDIÇÃO

EXPEDIENTE

Presidente e Editor	Italo Amadio *(in memoriam)*
Diretora Editorial	Katia F. Amadio
Editor	Eduardo Starke
Revisão	Roseli Simões Valquíria Matiolli
Projeto Gráfico	Reverson R. Diniz
Diagramação	HiDesign Estúdio
Ilustrações	R2 Estúdio

Dados Internacionais de Catalogação na Publicação (CIP)
Angélica Ilacqua CRB-8/7057

```
Gonçalves, Kelly Cláudia
   Plano de aula : 40 semanas : 3º ano : ensino fundamental - anos
iniciais / Kelly Cláudia Gonçalves ; ilustrações de R2 Estúdio. --
2. ed. -- São Paulo : Rideel, 2019.
   6 v. : il.

ISBN: 978-85-339-5801-2 (Plano de aula 3º ano - Português)
ISBN: 978-85-339-5802-9 (Plano de aula 3º ano - Matemática)
ISBN: 978-85-339-5803-6 (Plano de aula 3º ano - Ciências)
ISBN: 978-85-339-5804-3 (Plano de aula 3º ano - História)
ISBN: 978-85-339-5805-0 (Plano de aula 3º ano - Geografia)
ISBN: 978-85-339-5806-7 (Plano de aula 3º ano - Livro do
professor)
ISBN: 978-85-339-5800-5 (Obra completa)

1. Educação infantil 2. Alfabetização I. Título II. R2 Estúdio

19-2403                                                    CDD 372
```

Índices para catálogo sistemático:

1. Educação infantil

© 2023 - Todos os direitos reservados à

Av. Casa Verde, 455 – Casa Verde
CEP 02519-000 – São Paulo – SP
e-mail: sac@rideel.com.br
www.editorarideel.com.br

Proibida a reprodução total ou parcial desta obra, por qualquer meio ou processo, especialmente gráfico, fotográfico, fonográfico, videográfico, internet. Essas proibições aplicam-se também às características de editoração da obra. A violação dos direitos autorais é punível como crime (art. 184 e parágrafos, do Código Penal), com pena de prisão e multa, conjuntamente com busca e apreensão e indenizações diversas (artigos 102, 103, parágrafo único, 104, 105, 106 e 107, incisos I, II e III, da Lei nº 9.610, de 19-2-1998, Lei dos Direitos Autorais).

Apresentação

A proposta apresentada na Coleção Plano de Aula está de acordo com a proposta da Base Nacional Comum Curricular (BNCC) Ensino Fundamental – Anos Iniciais. Ela apresenta uma progressão das múltiplas aprendizagens, articulando o trabalho com as experiências anteriores e valorizando as situações lúdicas de aprendizagem.

Tal articulação precisa prever tanto a progressiva sistematização dessas experiências quanto o desenvolvimento, pelos alunos, de novas formas de relação com o mundo, novas possibilidades de ler e formular hipóteses sobre os fenômenos, de testá-las, de refutá-las, de elaborar conclusões, em uma atitude ativa na construção de conhecimentos.

A proposta da Coleção é compreender as mudanças no processo do desenvolvimento da criança – como a maior autonomia nos movimentos e a afirmação de sua identidade.

As atividades propostas propõem o estímulo ao pensamento lógico, criativo e crítico, bem como sua capacidade de perguntar, argumentar, interagir e ampliar sua compreensão do mundo.

A progressão do conhecimento ocorre pela consolidação das aprendizagens anteriores e pela ampliação das práticas de linguagem e da experiência estética e intercultural das crianças, considerando tanto seus interesses e suas expectativas quanto o que ainda precisam aprender.

A Coleção assegura, ainda, um percurso contínuo de aprendizagem e uma maior integração entre as duas etapas do Ensino Fundamental, e traz cinco volumes: Língua Portuguesa, Matemática, Ciências da Natureza e Ciências Humanas (História e Geografia).

Com o intuito de garantir o desenvolvimento das competências específicas de área, cada componente curricular possui um conjunto de habilidades que estão relacionadas aos objetos de conhecimento (conteúdos, conceitos e processos) e que se organizam em unidades temáticas.

Entre os componentes curriculares presentes na BNCC, apenas Língua Portuguesa – da área de Linguagens – não está estruturada em unidades temáticas. Ou seja, ela se organiza em práticas de linguagem (leitura/escuta, produção de textos, oralidade e análise linguística/semiótica), campos de atuação, objetos de conhecimento e habilidades.

Kelly Cláudia Gonçalves

Sobre a autora

Kelly Cláudia Gonçalves é pedagoga e psicopedagoga. Possui especialização em Alfabetização e Letramento. É diretora de escola privada e autora de diversas coleções pedagógicas, como *Aprendendo com Videoaulas, Atividades para Projetos, Alfabetizando no 2º Período, Cantando & Aprendendo, Cantando e Aprendendo com a Galinha Pintadinha, Cantando e Aprendendo com Datas Comemorativas, Oficina de Reforço Escolar, Oficina para Casa – Educação Infantil e Ensino Fundamental I.*

Sumário

1ª e 2ª semanas – A comunidade familiar 9

3ª e 4ª semanas – A importância da família 14

5ª e 6ª semanas – Árvore genealógica 18

7ª e 8ª semanas – Você e sua história 21

9ª semana – A entrevista com um familiar 24

10ª semana – Declaração Universal dos Direitos da Criança, de 1959 26

11ª semana – Os indígenas 32

12ª semana – Dia do livro infantil 36

13ª semana – Descobrimento do Brasil 39

14ª semana – Analisando a carta de Pero Vaz de Caminha 43

15ª semana – Carta interativa de Pero Vaz de Caminha 47

16ª semana – Tiradentes 54

17ª semana – Abolição da escravatura 58

18ª semana – Zumbi dos Palmares 61

19ª semana – Leis abolicionistas 65

20ª semana – Governo do município 68

21ª semana – Problemas do município 72

22ª semana – O trabalho 75

23ª semana – Salário mínimo 79

24ª semana – Tratado de Tordesilhas 82

25ª semana – As capitanias hereditárias 85

26ª semana – Primeiras cidades 88

27ª semana – Governo-geral 92
28ª semana – Missão jesuíta 95
29ª semana – Brasil africano 98
30ª semana – Entradas e bandeiras 102
31ª semana – Folclore 106
32ª semana – Lendas folclóricas 109
33ª semana – Provérbios e ditados populares 113
34ª semana – Tudo sobre folclore 116
35ª semana – Festival de adivinhas 119
36ª semana – Independência do Brasil 122
37ª semana – O Brasil de hoje e o Brasil de ontem 127
38ª semana – Símbolos da Pátria 129
39ª semana – Nossa Pátria 133
40ª semana – Proclamação da República 136

NOME: ________________________________

DATA: ___/___/_____

1ª e 2ª SEMANAS

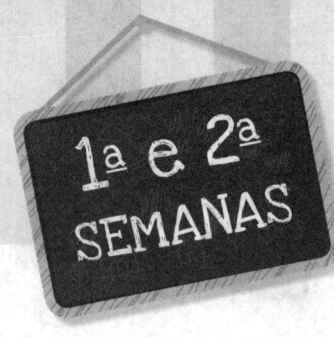

A COMUNIDADE FAMILIAR

O pai, a mãe e os filhos formam uma família.

Os avós, os tios, os primos também fazem parte da comunidade familiar.

Eles são nossos parentes. A família é o primeiro grupo de pessoas com quem convivemos.

As famílias são diferentes. Em algumas, o pai e a mãe se separam e vão morar em casas diferentes.

Existem crianças que são criadas por outras pessoas.

Há ainda família na qual só tem a mãe ou o pai.

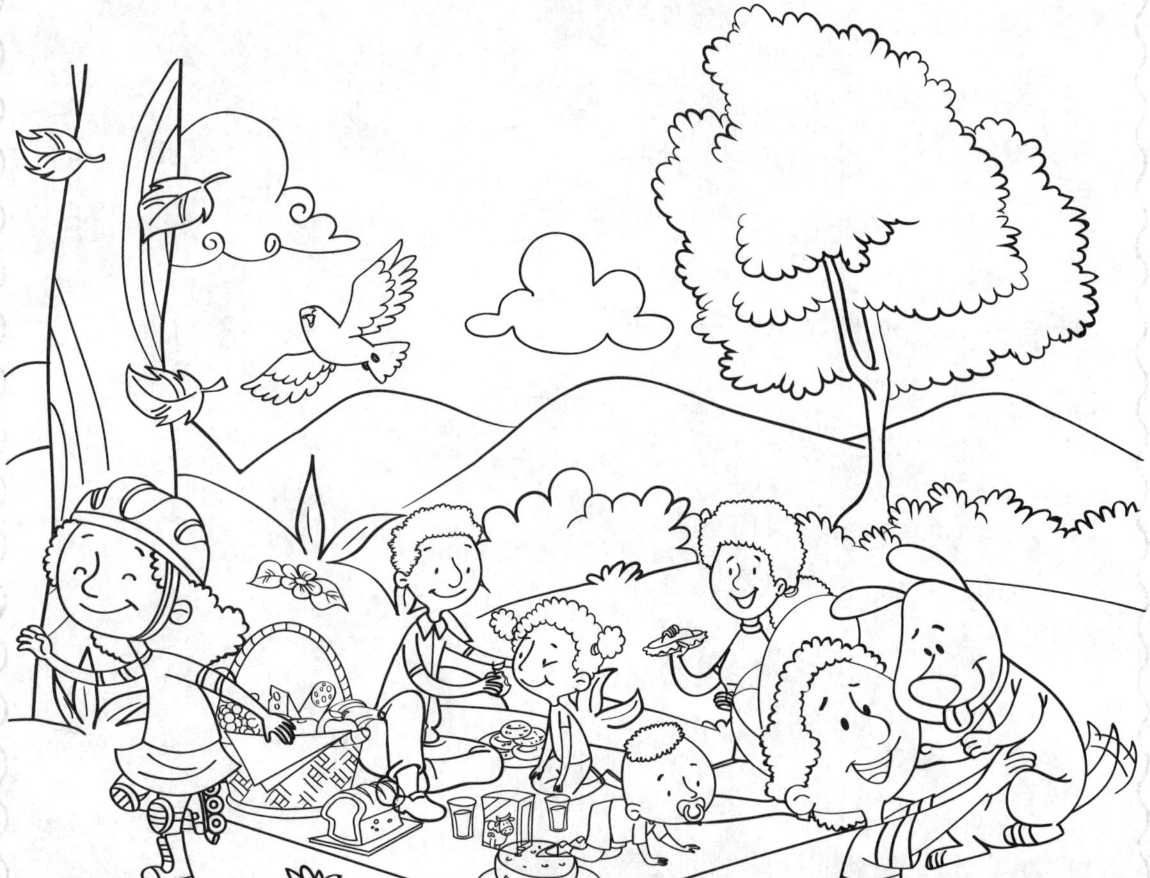

1ª e 2ª SEMANAS

NOME: _____

DATA: ____/____/_____

1. Quem faz parte da sua família?

   _____

   _____

2. Desenhe sua família e identifique os membros:

3º ANO — 2A EDIÇÃO

NOME: _____

DATA: ___/___/_____

1ª e 2ª SEMANAS

3. Responda:

A) Como são formadas as famílias?
_____

B) Quem são nossos parentes?
_____

C) O que é comunidade familiar?
_____

D) O pai e a mãe têm o direito de se separarem? Explique.
_____

E) Você acha que a separação dos pais causa problemas? Cite alguns deles.
_____

F) Tem algum parente que mora com você? Quem?
_____

G) Você tem avós por parte de mãe? E por parte de pai? Registre o nome deles.
_____
_____

H) Escreva dois momentos marcantes com sua família.
_____
_____
_____

3º ano – 2A EDIÇÃO

1ª e 2ª SEMANAS

NOME: _____

DATA: ____/____/_____

4. Resolva o diagrama da comunidade familiar:

A) Filho do meu tio. _____

B) Pessoas da mesma família. _____

C) Casado com a mamãe. _____

D) Sou da vovó. _____

E) Irmã do papai. _____

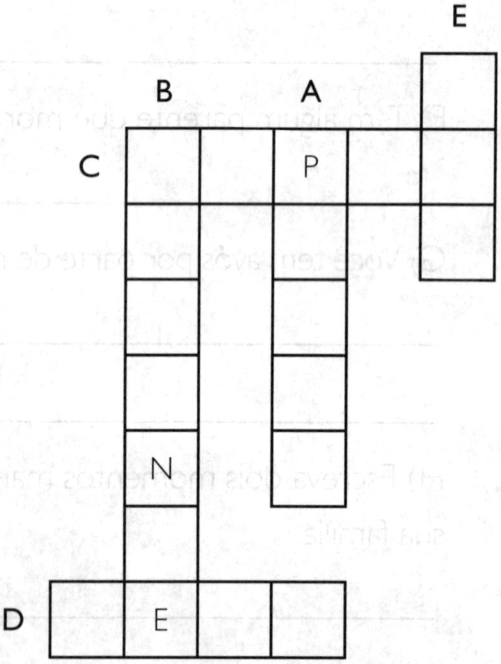

12   3º ano — 2A EDIÇÃO

NOME: ______________________________

DATA: ___/___/______

1ª e 2ª SEMANAS

5. Observe os integrantes da família e faça o que se pede:

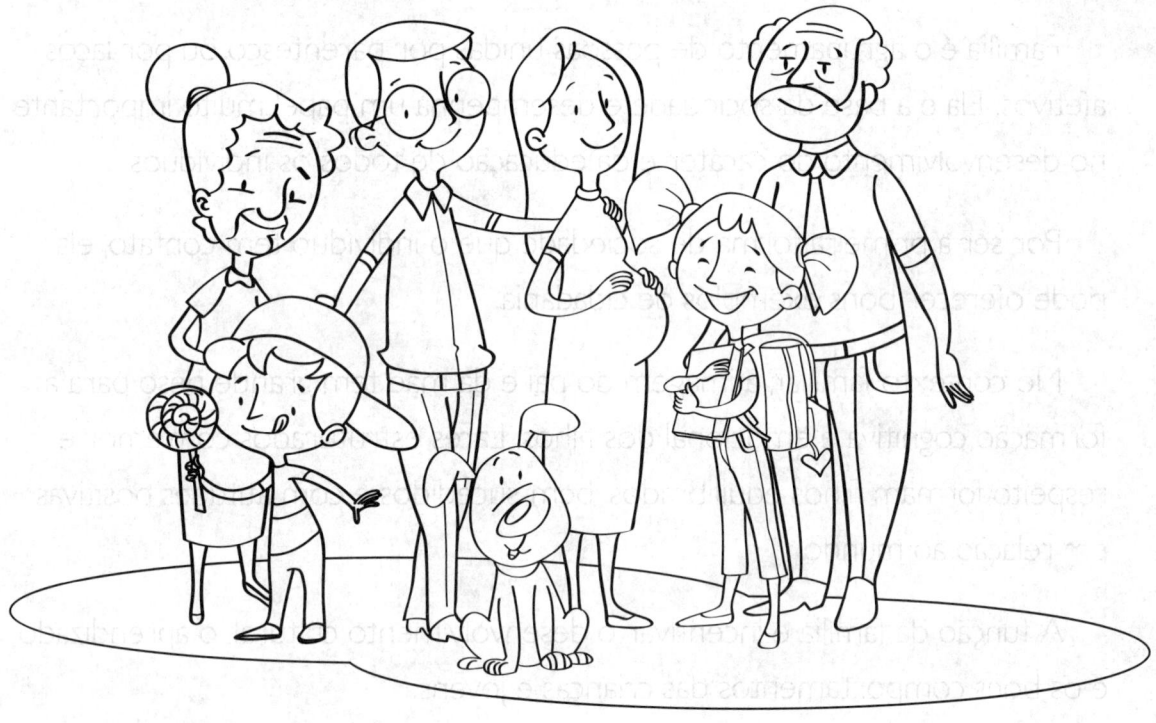

A) Pinte o vovô.

B) Faça um **X** na vovó.

C) Circule o papai.

D) Risque a mamãe.

6. Ligue corretamente:

Titio •	• Mãe do papai
Titia •	• Filho da titia
Primo •	• Pai da mamãe
Vovô •	• Irmã da mamãe
Vovó •	• Irmão do papai

NOME: _____

DATA: ____/____/_____

A IMPORTÂNCIA DA FAMÍLIA

Família é o agrupamento de pessoas unidas por parentesco ou por laços afetivos. Ela é a base da sociedade e desempenha um papel muito importante no desenvolvimento do caráter e da educação de todos os indivíduos.

Por ser a primeira forma de sociedade que o indivíduo tem contato, ela pode oferecer bons exemplos de cidadania.

No contexto familiar, a imagem do pai e da mãe tem grande peso para a formação cognitiva e emocional dos filhos. Lares estruturados com amor e respeito formam filhos equilibrados, bem-sucedidos e com atitudes positivas em relação ao mundo.

A função da família é incentivar o desenvolvimento cultural, o aprendizado e os bons comportamentos das crianças e jovens.

Os valores, as crenças e o respeito às diferenças também são ensinados dentro do ambiente familiar e, depois, são levados para a vida.

É preciso respeitar a família em todas as suas formas e concepções. Atualmente, o conceito de família está bastante evoluído. As famílias estão sendo formadas de formas diferentes: só mãe, só pai, duas mães, dois pais.

É essencial respeitar e garantir os direitos de todas as estruturas familiares, independentemente de sua formação.

Os membros da família devem incentivar o afeto e as demonstrações de carinho, pois os momentos familiares são os mais importantes para a felicidade dos pais e filhos.

NOME: _____

DATA: ____/____/_____

1. Responda com atenção:

   A) Todos nós temos uma família, independentemente de ter ou não ligação de sangue com ela. Sua família te ama e escolheu um nome para você. Com a ajuda dos familiares, registre como foi feita a escolha do seu nome e o significado dele.

   _____

   _____

   B) Como você se sente fazendo parte dessa família? Escreva 4 coisas que fazem juntos.

   1. _____
   2. _____
   3. _____
   4. _____

NOME: _____

DATA: ____/____/_____

2. No Brasil, quando uma criança nasce, seus pais ou responsáveis registram seu nome e sobrenome em um documento, a Certidão de Nascimento. Nela, além do nome, aparecem outras informações que identificam você como ser único. Este é o primeiro documento oficial que todos nós brasileiros devemos possuir.

Cole a cópia da sua Certidão de Nascimento no espaço abaixo.

NOME: _____

DATA: _____/_____/_____

3ª e 4ª SEMANAS

3. De acordo com as informações que já tem, complete:

A) Seu nome completo:
_____

B) Qual seu sobrenome?
_____

C) Por parte de quem é seu sobrenome?
_____

D) Dia do seu nascimento e horário?
_____

E) Cidade do nascimento?
_____

F) Nome do hospital?
_____

G) Nome completo dos pais.
_____
_____

H) Nome completo dos avós paternos.
_____
_____

I) Nome completo dos avós maternos.
_____
_____

J) Nome do cartório que foi registrado e dia.
_____

3º ano — 2A EDIÇÃO

NOME: _____

DATA: ___/___/_____

ÁRVORE GENEALÓGICA

1. Complete a composição da sua família, escrevendo os nomes. Faça com a ajuda dos familiares.

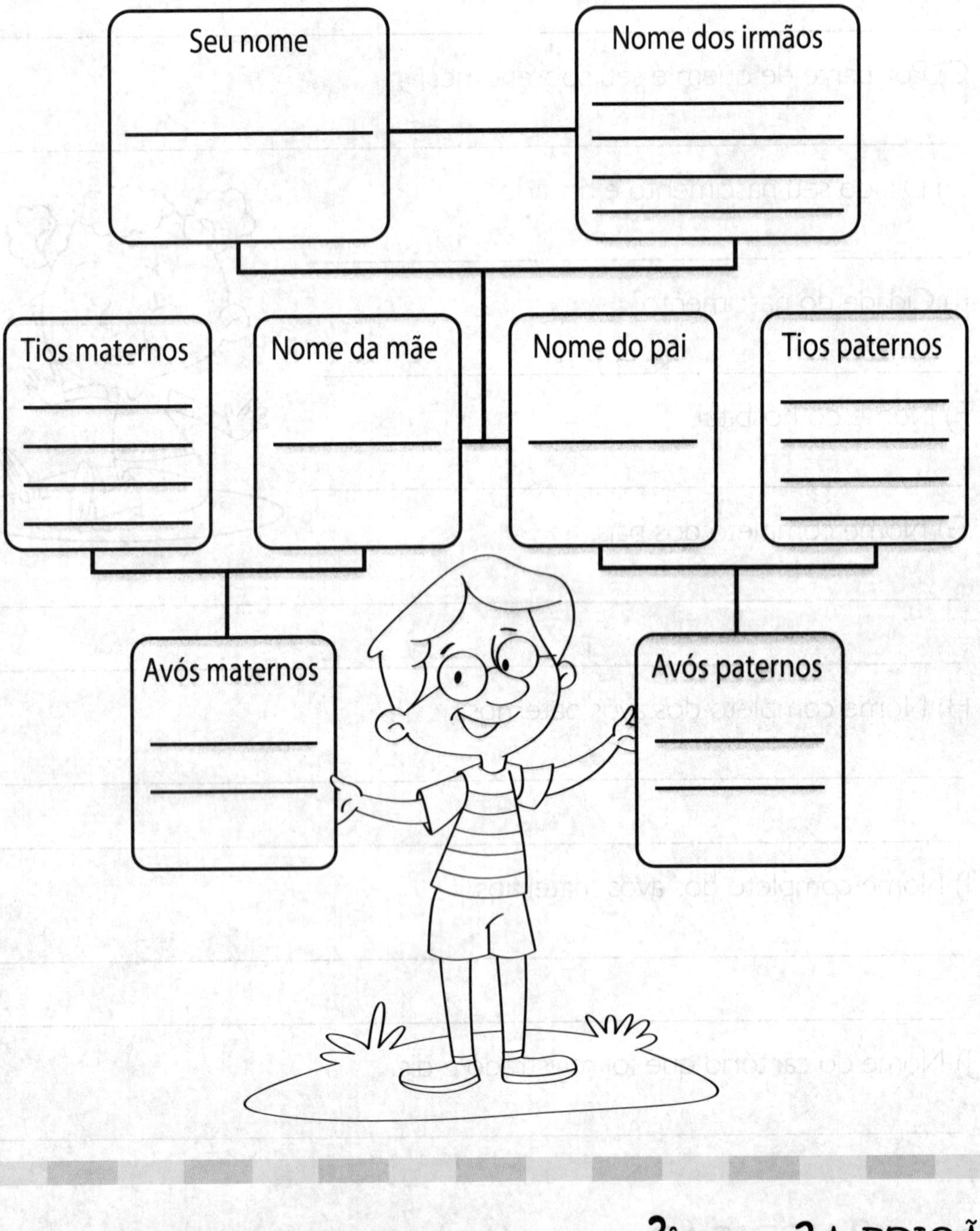

| Seu nome | Nome dos irmãos |

| Tios maternos | Nome da mãe | Nome do pai | Tios paternos |

| Avós maternos | Avós paternos |

18 3º ano — 2A EDIÇÃO

NOME: _____

DATA: ____/____/_____

2. Observe a árvore genealógica e responda:

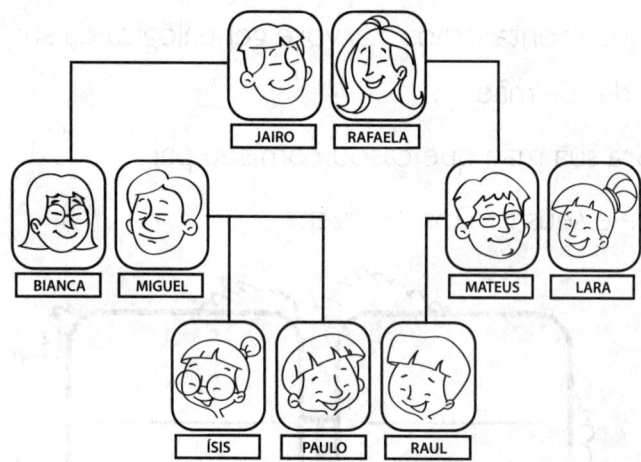

A) Quem estão no topo da árvore genealógica? Quem eles representam?
_____

B) Quem são os filhos deles?
_____

C) Quem é casado com Bianca e com Mateus?
_____

D) Quem são os filhos de Bianca e Miguel?
_____

E) Quem são os filhos de Mateus e Lara?
_____

F) Quem são primos?
_____

G) Quem são considerados tios?
_____

3º ano — 2A EDIÇÃO

NOME: _____

DATA: ___/___/_____

3. Monte a árvore genealógica conforme as orientações:

A) Considere que montaremos a árvore genealógica da sua mãe. No topo estarão os pais da sua mãe.

B) Abaixo, estará sua mãe que casou com seu pai.

C) Depois, você e seus irmãos, se tiver.

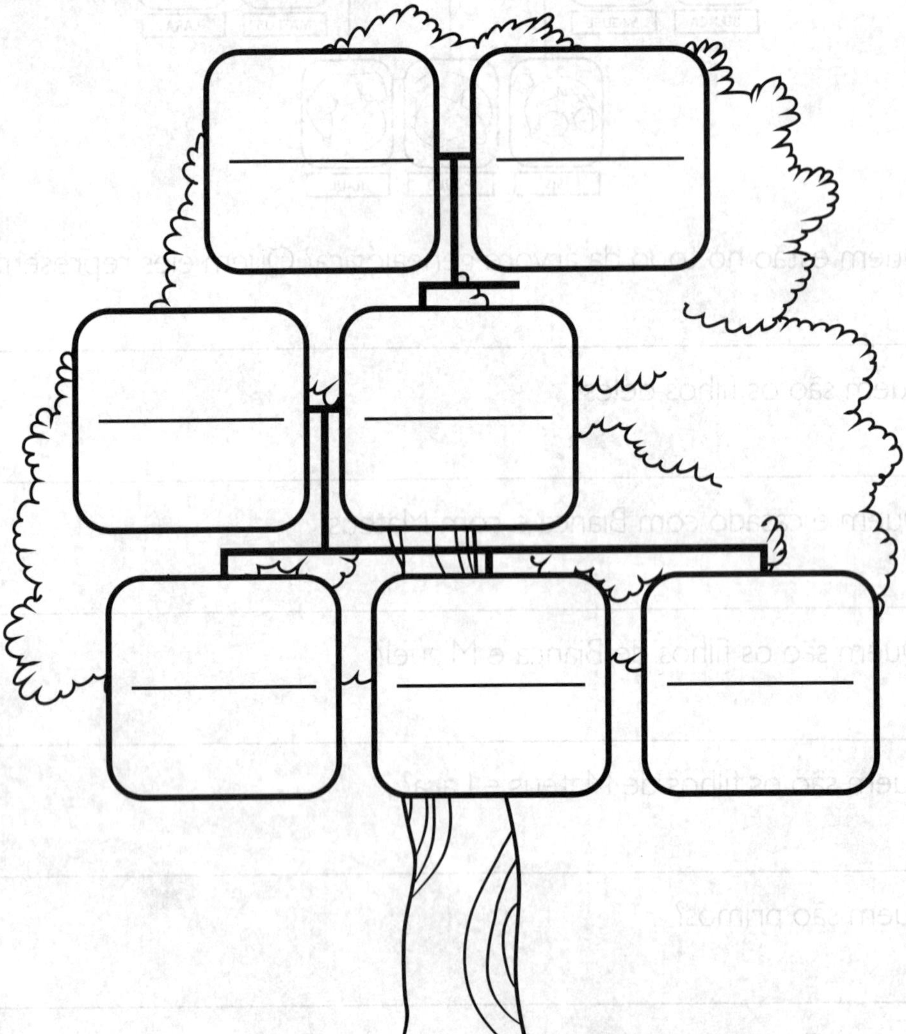

NOME: ____

DATA: ____/____/________

7ª e 8ª SEMANAS

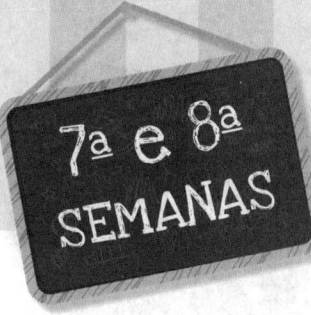

VOCÊ E SUA HISTÓRIA

Todos nós, no decorrer de nossas vidas, construímos uma história. Essa história é formada por fatos marcantes desde o nascimento.

1. Represente na ilustração as suas características:

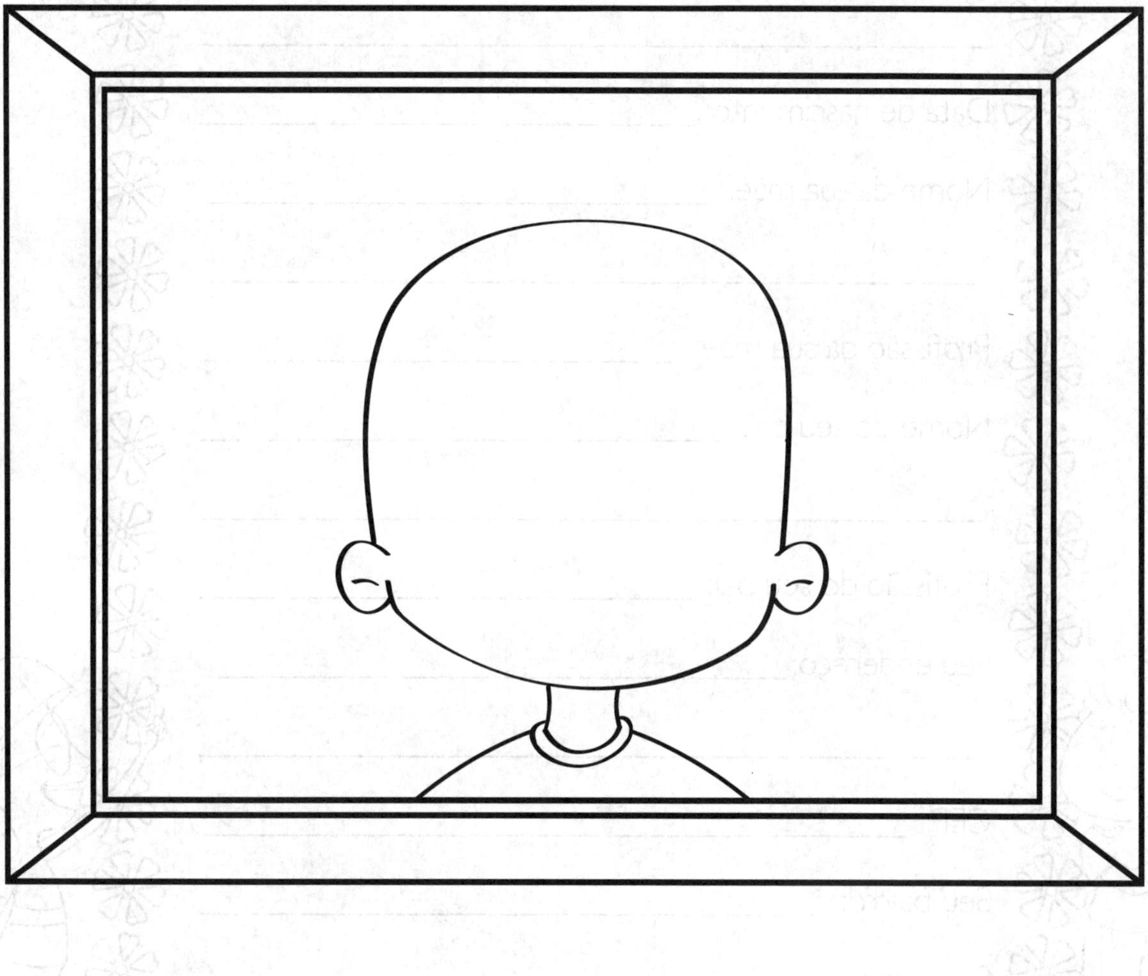

NOME: _____

DATA: ___/___/_____

2. Preencha as informações sobre você:

INFORMAÇÕES GERAIS

Nome completo: _____
_____

Data de nascimento: _____

Nome da sua mãe: _____
_____

Profissão da sua mãe: _____

Nome do seu pai: _____
_____

Profissão do seu pai: _____

Seu endereço: _____
_____

CEP: _____

Seu bairro: _____

Sua cidade: _____

3º ano – 2A EDIÇÃO

NOME: _____

DATA: ___/___/_____

7ª e 8ª SEMANAS

3. Um pouco mais sobre sua história:

O QUE QUER SER QUANDO CRESCER?

MINHAS COISAS FAVORITAS:
ESPORTE _____
MÚSICA _____
FILME _____
OBJETO _____
COMIDA _____

LIVRO QUE LI E GOSTEI:

MINHA COR PREFERIDA:

FOTO 3 x 4

MEU HERÓI:

PASSEIO QUE MAIS GOSTO:

O QUE ESPERO PARA O FUTURO:

3º ano – 2A EDIÇÃO

NOME: _____

DATA: ____/____/_____

ENTREVISTA COM UM FAMILIAR

Faça uma entrevista com um familiar. A ideia principal é registrar as tradições familiares e a história dos seus antepassados. Depois, elabore um pequeno texto com as informações que você obteve sobre:

- Costumes passados de geração para geração;
- Pratos característicos da região onde nasceram e que ainda conservam;
- Cantigas ou canções típicas;
- Histórias contadas por seus antepassados;
- A forma de educar os filhos;
- Brincadeiras da infância dele.

Entrevistado(a): _____

Grau de parentesco: _____

Onde nasceu e onde vive atualmente? _____

Cite alguns costumes que você herdou de seus antepassados e conserva até hoje: _____

_____

Fale alguns hábitos familiares que você conserva: _____

_____

Registre pratos típicos de sua família: _____

_____

NOME: _____

DATA: ___/___/_____

9ª SEMANA

O nome, a letra ou estrofe de uma música que você ouvia de seus pais ou avós e canta até hoje.

_____
_____
_____

O que considera mais importante na educação de uma criança?

_____
_____
_____

Histórias que ouvia de seus pais ou avós e que ficaram marcadas em sua mente.

_____
_____
_____

Vivenciou algum fato importante que aconteceu no Brasil e ficou registrado na história? Qual?

_____
_____
_____

3º ano — 2ª EDIÇÃO

NOME: _____

DATA: ___/___/_____

DECLARAÇÃO UNIVERSAL DOS DIREITOS DA CRIANÇA, DE 1959

1) Toda criança tem direito à igualdade, sem distinção de raça, religião ou nacionalidade.

2) Toda criança tem direito a especial proteção para o seu desenvolvimento físico, mental e social.

3) Toda criança tem direito a um nome e a uma nacionalidade.

4) Toda criança tem direito a alimentação, moradia e assistência médica adequadas para a criança e a mãe.

5) Toda criança física ou mentalmente deficiente tem direito à educação e a cuidados especiais.

6) Toda criança tem direito ao amor e à compreensão por parte dos pais e da sociedade.

7) Toda criança tem direito à educação gratuita e ao lazer infantil.

8) Toda criança tem direito a ser socorrido em primeiro lugar, em caso de catástrofes.

9) Toda criança tem direito a ser protegido contra o abandono e a exploração no trabalho.

10) Toda criança tem direito a crescer dentro de um espírito de solidariedade, compreensão, amizade e justiça entre os povos.

NOME: _____

DATA: ___/___/_____

1. Observe os desenhos e escreva o direito a que se refere:

3º ANO – 2A EDIÇÃO

NOME: _____

DATA: ____/____/_____

28   3º ano — 2A EDIÇÃO

NOME: _____

DATA: ____/____/_____

3º ano — 2A EDIÇÃO

NOME: _____

DATA: ____/____/_____

NOME: _____

DATA: ____/____/_____

2. Crianças também têm deveres. Escreva 4 deveres da criança.

_____
_____
_____
_____
_____
_____
_____
_____

11ª SEMANA

NOME: _____

DATA: ____/____/_____

OS INDÍGENAS

Os indígenas foram os primeiros habitantes do Brasil. Eles andavam livres nas florestas, caçando e pescando.

Os povos indígenas vivem em tribos e cada uma tem um chefe guerreiro, chamado cacique ou morubixaba, e um chefe religioso, chamado pajé.

Moram em ocas, que são cabanas com paredes construídas com paus e barro, e a cobertura do teto é feita de palha ou folhas de árvore.

Taba é a reunião de ocas que forma uma pequena aldeia.

Os indígenas usam como arma o arco, a flecha, a lança, o tacape e a zarabatana.

Eles têm vários costumes. Um deles é dormir em redes ou esteiras. Alimentam-se da caça, da pesca e de vegetais.

Usam como instrumentos musicais o tambor, o chocalho, a flauta e o maracá.

Produzem objetos para uso no dia a dia, como potes de cerâmica, cestos de palha e pilão e canoas de madeira.

Andam nus ou quase nus. Alguns usam tangas e cocares de penas coloridas. Enfeitam-se com cocares, pulseiras, colares feitos de elementos naturais, como dentes de animais, penas e sementes.

NOME: _____

DATA: ___/___/_____

1. Complete as frases e, logo em seguida, preencha o diagramada de palavras.

   A) Os índios usam a _____ na alimentação. Ela é uma raiz.

   B) Os indígenas vivem da caça e da pesca. Para caçar, eles usam o arco e a _____.

   C) A reunião de ocas forma uma _____.

   D) O _____ é a tinta que os índios usam para pintar o corpo.

   E) Na tribo indígena as crianças são chamadas de _____.

   F) Os indígenas são amigos da _____. Eles protegem e cuidam dela.

   G) Uma das tradições dos indígenas é dormir em _____.

   H) Na tribo o chefe guerreiro é o cacique e o chefe religioso é o _____.

   I) Os indígenas vivem em grupos e moram em _____.

3º ANO – 2A EDIÇÃO

33

11ª SEMANA

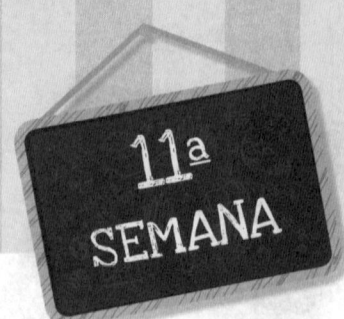

NOME: ______________________________

DATA: ___/___/______

2. Substitua os desenhos por palavras e escreva o texto na próxima página.

Indígenas

Brasil

Florestas

Pajé

Ocas

Paus

Arco

Flecha

Redes

Esteiras

Tanga

Cocar

Penas

Sol

Lua

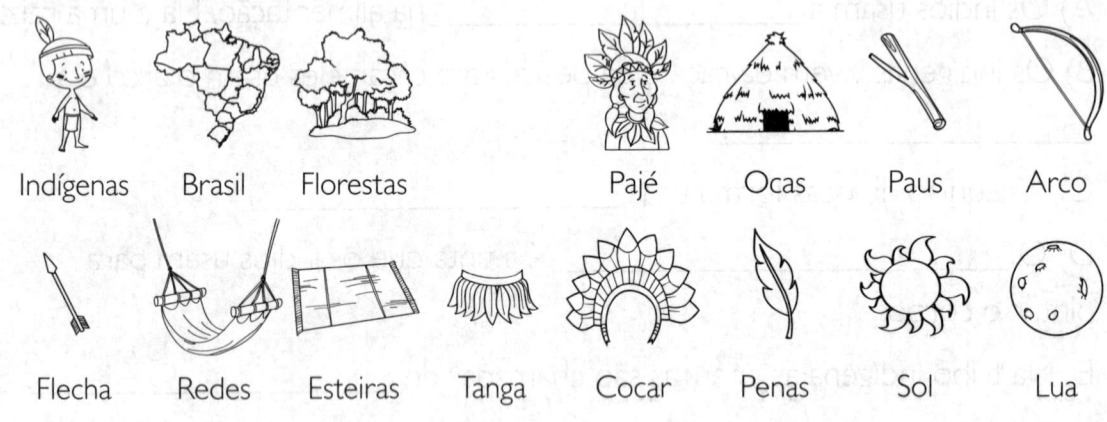

Os

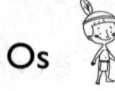

Os 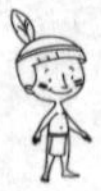 foram os primeiros habitantes do nosso .

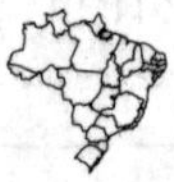

Antes do descobrimento, os 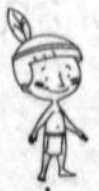 viviam livres em nossas 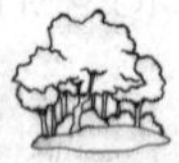. Toda tribo tem um guerreiro chamado de cacique e um chefe religioso chamado 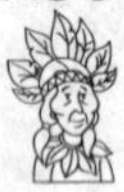.

Os 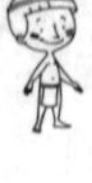 moram em construídas de e barro.

Eles usam o 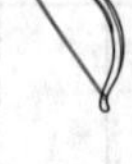 e a 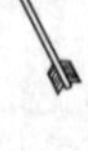 para caçar e pescar.

Dormem em 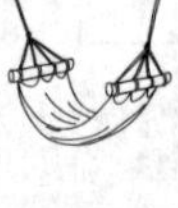 ou 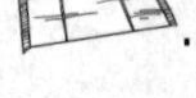.

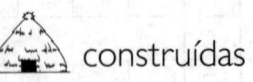

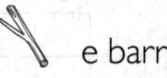

11ª SEMANA

Alguns indígenas andam nus, outros usam 🩱 e 👑 feitos de 🪶 coloridas das aves.

Chamam o ☀️ de Jaguaraci e a 🌙 de Jaci

_____

_____
_____
_____
_____
_____
_____
_____
_____
_____
_____
_____
_____

NOME: _____

DATA: ___/___/_____

DIA DO LIVRO INFANTIL

Em 18 de abril, data de nascimento de Monteiro Lobato, comemoramos o Dia do Livro no Brasil.

As histórias de Monteiro Lobato trazem um mundo imaginário de aventuras, fantasias, verdades e encantamentos dos personagens mais famosos do Brasil.

A sua obra mais popular é o **Sítio do Picapau Amarelo**, composta por 23 volumes, em que surgem os famosos personagens: Narizinho, Pedrinho, Dona Benta, Tia Nastácia, boneca Emília, Visconde de Sabugosa, Tio Barnabé, o Marquês de Rabicó, entre outros.

Este sítio representa o interior do Brasil, o universo rural, com seus costumes, seus modos, comidas e crendices. Lá, a imaginação é a realização dos sonhos.

NOME: _____

DATA: ____/____/_____

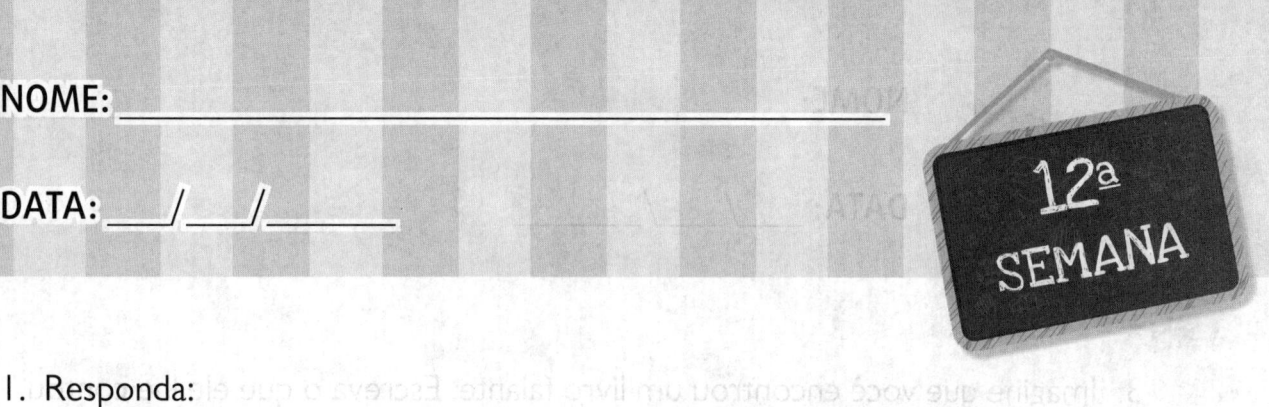

12ª SEMANA

1. Responda:

   A) Você acha que o livro merece um dia especial? Por quê?
   _____
   _____

   B) Escreva o nome de mais dois escritores famosos.
   _____
   _____

   C) Que tipo de livro você gosta de ler?
   _____
   _____

   D) Escreva o nome de um livro que ficou marcado em sua memória. Por que marcou?
   _____
   _____

2. Escreva o nome destes personagens do Sítio:

12ª SEMANA

NOME: _____

DATA: ____/____/_____

3. Imagine que você encontrou um livro falante. Escreva o que ele lhe contou.

_____
_____
_____
_____
_____
_____
_____
_____
_____
_____
_____
_____
_____
_____
_____

3º ano — 2A EDIÇÃO

NOME: _____

DATA: ___/___/_____

13ª SEMANA

DESCOBRIMENTO DO BRASIL

No dia 22 de abril de 1500, o Brasil foi descoberto. Os portugueses, ao se aproximarem das terras brasileiras, avistaram um monte e deram-lhe o nome de Monte Pascoal, em virtude de estar na semana da Páscoa. A princípio, eles acreditavam estar a caminho da Índia, mas, ao avistar o monte, Cabral percebeu que chegara em outro lugar.

Fizeram os primeiros contatos com os habitantes e passaram a chamar o lugar de Ilha de Vera Cruz. A notícia foi dada ao rei de Portugal por Pero Vaz de Caminha, escrivão da expedição de Cabral. Ele registrou todos os detalhes da expedição e, logo depois, escreveu uma carta para Portugal. Essa carta foi o primeiro documento de registro oficial escrito sobre o Brasil.

No domingo, dia 25 de abril do mesmo ano, foi celebrada a primeira missa no Brasil, por Frei Henrique de Coimbra. Foi aí que os indígenas perceberam que a fé dos portugueses era diferente da deles. Após a missa, a frota de Cabral foi para as Índias descobrir as riquezas da terra.

3º ANO — 2A EDIÇÃO

13ª SEMANA

NOME: _____

DATA: ___/___/_____

1. Resolva o diagrama do descobrimento:

   A) Mês em que o Brasil foi descoberto. _____

   B) O comandante do navio. _____

   C) Terra que tinha como objetivo chegar. _____

   D) Habitantes que encontraram na nova terra. _____

   E) Documento que o escrivão enviou para o rei de Portugal.
   _____

   F) País de onde Cabral e sua esquadra saiu. _____

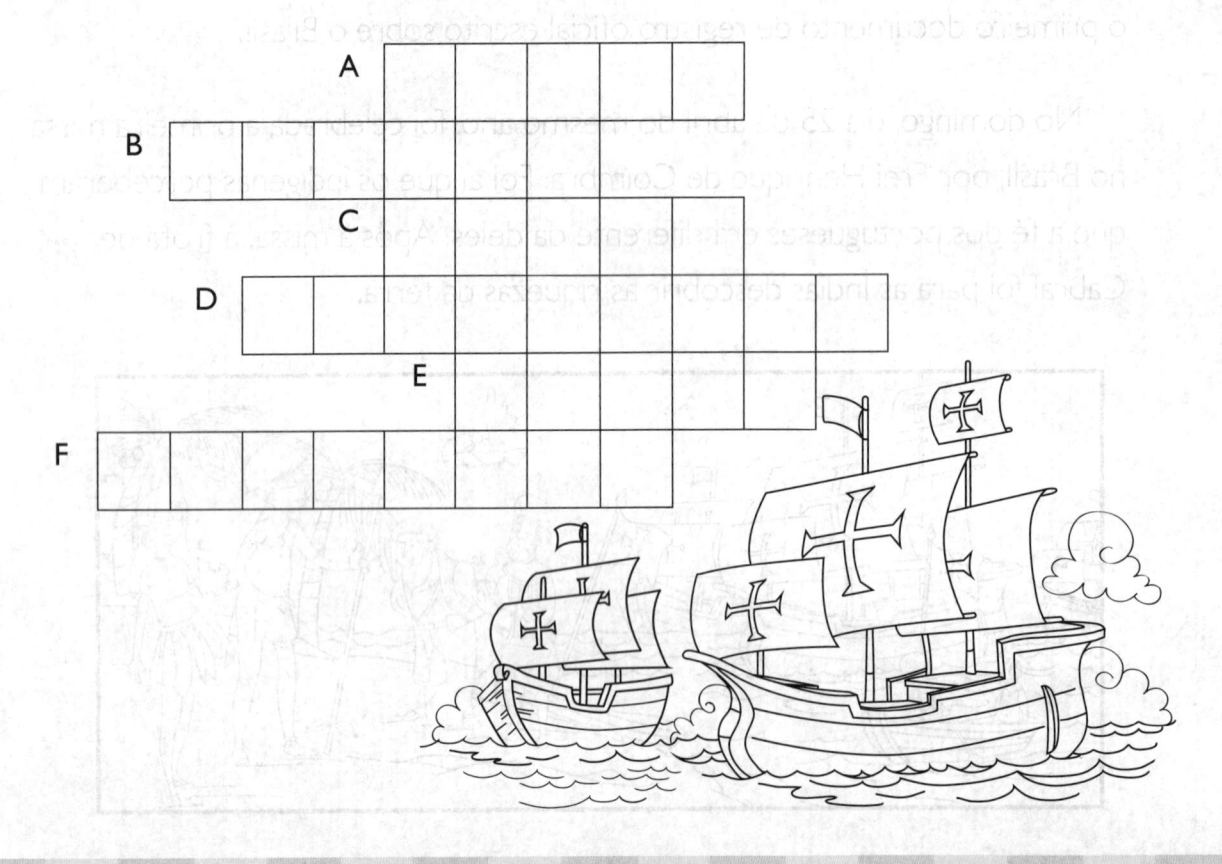

NOME: _____

DATA: ____/____/_____

13ª SEMANA

2. Pense e responda rapidinho:

A) Qual foi o nome dada ao monte avistado pelos portugueses?
_____

B) Quando o Brasil foi descoberto?
_____

C) Quem era o comandante da expedição que descobriu o Brasil?
_____

D) Quem escreveu a carta ao rei de Portugal contando sobre a terra descoberta?
_____

E) Que habitantes ocupavam a terra descoberta?
_____

F) Depois de ter estudado sobre o descobrimento, responda: o Brasil foi invadido ou descoberto? Justifique sua resposta.
_____
_____
_____
_____

3º ANO – 2A EDIÇÃO

NOME: _____

13ª SEMANA

DATA: ____/____/_____

3. Pinte as respostas da loteria:

A) Escrivão da esquadra	Pedro Álvares Cabral	Vasco da Gama	Pero Vaz de Caminha
B) Data do descobrimento	9 de março de 2000	22 de abril de 1500	21 de abril de 1600
C) País de onde partiu a frota de Cabral	Índias	Brasil	Portugal
D) Nome do monte avistado	Pascoal	Colina	Neblina
E) Época em que chegaram aqui	Natal	Páscoa	Ano-Novo
F) Habitantes nativos do Brasil	Portugueses	Espanhóis	Indígenas
G) O nome Brasil veio de uma	Ilha	Madeira	Estátua

NOME: _____

DATA: ___/___/_____

14ª SEMANA

ANALISANDO A CARTA DE PERO VAZ DE CAMINHA

Senhor:

[...] E assim seguimos o nosso caminho por este mar; até na terça-feira da semana de Páscoa – era dia 21 de abril – encontramos alguns sinais de terra: uma grande quantidade de ervas compridas chamadas botelhos, assim como outras a que dão o nome de rabo-de-asno. No dia seguinte – quarta-feira pela manhã – topamos aves a que chamam de fura-buchos. Neste mesmo dia, ao final da tarde, avistamos terra! Primeiramente um grande morro, muito alto e redondo; depois, outras serras mais baixas ao sul do monte e mais terra com grandes arvoredos. Ao monte alto, o Capitão deu o nome de Pascoal, e à terra, Terra de Vera Cruz. Em seguida, [...] lançamos âncoras. Ali permanecemos por toda aquela noite.

No dia seguinte, quinta-feira pela manhã, fizemos vela e seguimos direto à terra, onde lançamos âncoras defronte à boca de um rio. A ancoragem se completou mais ou menos às dez horas. Dalí avistamos homens que andavam pela praia [...].

O capitão-mor mandou que Nicolau Coelho desembarcasse em terra com um batel e fosse inspecionar aquele rio. E quando ele começou a dirigir-se para lá, apareceram pela praia homens em grupos de dois, três, de maneira que, ao chegar o batel à boca do rio, já estavam ali dezoito ou vinte homens. Eram pardos, todos nus [...] traziam nas mãos arcos e setas. Vinham todos rapidamente em direção ao batel. Nicolau Coelho fez sinal que pousassem os arcos. E eles assim fizeram [...]

Pero Vaz de Caminha. *Carta do achamento do Brasil.* (Texto adaptado)

14ª SEMANA

NOME: _____

DATA: ____/____/_____

1. Responda de acordo com a carta:

   A) Por que Pero Vaz de Caminha escreveu uma carta ao rei?
   _____

   B) Quem era o capitão-mor descrito na carta de Pero Vaz de Caminha?
   _____

   C) Quem eram as pessoas que apareceram na praia?
   _____

   D) Por que as pessoas que estavam na praia estavam armadas?
   _____

   E) O primeiro contato com os habitantes da terra foi pacífico ou violento? Justifique sua resposta.
   _____
   _____

   F) Como Caminha descreveu os nativos na carta?
   _____
   _____

2. A carta de Pero Vaz de Caminha apresenta trechos descritivos e narrativos.

   > Em sua carta ao rei de Portugal, Caminha relata o que os navegantes portugueses viram e fizeram em sua chegada às novas terras. Portanto, ela pode ser classificada como relato de viagem.
   >
   > Ao ler um relato de viagem, ficamos conhecendo não só o povo e a cultura do lugar visitado, mas também a visão de mundo daquele que viaja e faz o relato.

NOME: _____

DATA: ____/____/_____

14ª SEMANA

A) Que elementos (lugares, pessoas) Caminha descreve na carta ao rei?

_____
_____
_____
_____
_____

B) Escreva, resumidamente, os acontecimentos e as ações dos portugueses e dos nativos narrados.

_____
_____
_____
_____
_____

3. Você acha que os nativos da terra também tenham estranhado o comportamento dos portugueses? Explique.

_____
_____
_____
_____
_____

14ª SEMANA

NOME: _____

DATA: ____/____/_____

4. Agora, converse com colegas e professor(a) sobre esse momento da história e escreva uma carta ao rei relatando como seria o encontro com os indígenas do Brasil nos dias de hoje.

_____
_____
_____
_____
_____
_____
_____
_____
_____

CARTA INTERATIVA DE PERO VAZ DE CAMINHA

1. Vamos montar a carta por meio das figurinhas. Você deverá recortar as figurinhas e colá-las no trecho da carta de Caminha que a imagem representa.

   ------------ Dobrar

   ✂ recortar

COLAR	COLAR
COLAR	COLAR

15ª SEMANA

NOME: _____

DATA: ____/____/_____

COLAR	COLAR
COLAR	COLAR
COLAR	COLAR

48   3º ano — 2A EDIÇÃO

NOME: _____

DATA: ____/____/_____

15ª SEMANA

COLAR	COLAR
COLAR	COLAR
COLAR	COLAR

3º ANO – 2A EDIÇÃO

NOME: _____

DATA: ____/____/_____

15ª SEMANA

[Colar aqui]

1. Senhor,
Posto que o capitão-mor desta vossa frota, e assim os outros capitães escrevam a Vossa Alteza a nova do achamento desta vossa terra nova, [...] não deixarei de também dar minha conta a Vossa Alteza, assim como eu melhor puder."

[Colar aqui]

2. "A partida de Belém foi, como Vossa Alteza sabe, segunda-feira 9 de março. [...]
E assim seguimos nosso caminho, por este mar de longo, até que [...] houvemos vista de terra, a saber: primeiramente de um grande monte, mui alto e redondo e de outras serras mais baixas ao sul dele; e de terra chã, com grandes arvoredos; ao qual monte alto o capitão pôs o nome o Monte Pascoal, e à terra o de Vera Cruz".

[Colar aqui]

3. "[...] O Capitão mandou em terra Nicolau Coelho para ver aquele rio. [...] Quando o batel chegou à boca do rio, eram ali dezoito ou vinte homens pardos, todos nus, sem coisa alguma que lhes cobrisse suas vergonhas; traziam arcos nas mãos, e suas setas. Vinham todos rijos para o batel e Nicolau Coelho lhes fez sinal que pusessem os arcos e eles os puseram."

[Colar aqui]

4. "[...] Deu-lhes um barrete vermelho e uma carapuça de linho que levava na cabeça e um sombreiro preto; e um deles deu-lhe um sombreiro de penas de ave compridas, com uma copazinha de penas vermelhas e pardas como de papagaio."

3º ANO — 2A EDIÇÃO

NOME: _____

DATA: _____/_____/_____

15ª SEMANA

[Colar aqui]

5. "A feição deles é serem pardos, maneira de avermelhados, de bons rostos e bons narizes, bem feitos. Andam nus, sem cobertura alguma. Nem estimam de cobrir ou de mostrar suas vergonhas; e nisso têm tanta inocência como em mostrar o rosto."

[Colar aqui]

6. "O Capitão, quando eles vieram, estava sentado em uma cadeira, bem vestido, com um colar de ouro, mui grande, ao pescoço. [...] Um deles pôs olho no colar do capitão, e começou a acenar com a mão em direção a terra, e depois para o colar, como que nos dizia que havia ouro na terra; e também viu um castiçal de prata e assim mesmo acenava para a terra e então para o castiçal, como que havia também prata [...]"

[Colar aqui]

7. "[...] E uma daquelas moças era toda tingida, de baixo a cima, daquela tintura a qual certo era tão bem feita e tão redonda, e sua vergonha, que ela não tinha, tão graciosa, que a muitas mulheres de nossa terra, vendo-lhe tais feições, fizera vergonha, por não terem as suas como ela."

[Colar aqui]

8. "Traziam alguns deles uns ouriços verdes de árvores, que na cor queriam parecer de castanheiras, embora mais pequenos. E estavam cheios de uns grãos vermelhos, pequenos que, esmagando-os entre os dedos, faziam tintura muito vermelha de que andavam tingidos; e quanto mais se molhavam, tanto mais vermelhos ficavam [...]."

3º ANO — 2A EDIÇÃO

15ª SEMANA

NOME: _____

DATA: ___/___/_____

[Colar aqui]

9. "[...] Todos andam rapados até acima das orelhas, e assim as sobrancelhas e pestanas; trazem todos as testas, de fonte a fonte, tintas de tintura preta, que parece uma fita preta da largura de dois dedos [...]."

[Colar aqui]

10. "[...] haveria nove ou dez casas, as quais diziam que eram tão compridas, cada uma, como esta nau capitânia, e eram de madeira, e das ilhargas de tábuas, e cobertas de palha de razoável altura; [...] tinham de dentro muitos esteios, e, de esteio a esteio, uma rede atada com cabos em cada esteio, altas, em que dormiam. E debaixo, para se aquentarem, faziam seus fogos; [...] e diziam que em cada casa se recolhiam trinta ou quarenta pessoas [...]".

[Colar aqui]

11. "[...] enquanto nós fazíamos a lenha, construíam dois carpinteiros uma grande cruz de um pau que se ontem para isso cortou; muitos deles [nativos] vinham ali estar com os carpinteiros, e creio que o faziam mais para verem a ferramenta de ferro com que a faziam, do que para verem a cruz, porque eles não têm coisa que de ferro seja, e cortam sua madeira e paus com pedras feitas como cunhas, metidas em um pau entre duas talas, mui bem atadas [...]"

[Colar aqui]

12. "Enquanto andávamos nessa mata a cortar lenha, atravessavam alguns papagaios por essas árvores; verdes uns, e pardos, outros, grandes e pequenos, de maneira que me parece que haverá muitos nesta terra."

NOME: _____

DATA: ___/___/_____

15ª SEMANA

[Colar aqui]

13. "Eu creio, Senhor, que não dei ainda conta a Vossa Alteza do feitio de seus arcos e setas. Os arcos são pretos e compridos, e as setas compridas; e os ferros delas são canas aparadas, segundo Vossa Alteza verá alguns que creio que o Capitão a ela há de enviar."

[Colar aqui]

14. "Eles não lavram, nem criam. Nem há aqui boi ou vaca, cabra, ovelha ou galinha, ou qualquer outro animal que esteja acostumado ao viver do homem. E não comem senão deste inhame, de que aqui há muito, e dessas sementes e frutos que a terra e as árvores de si lançam. E com isto andam tais e tão rijos e tão nédios que o não somos nós tanto, com quanto trigo e legumes comemos."

[Colar aqui]

15. "Esta terra, Senhor, [...] de ponta a ponta é toda praia [...], muito chã e muito formosa. Pelo sertão nos pareceu, vista do mar, muito grande; porque, a estender olhos, não podíamos ver senão terra e arvoredos, que nos parecia muito extensa. [...] Águas são muitas; infindas. E em tal maneira é graciosa que, querendo-a aproveitar, dar-se-á nela tudo; por causa das águas que tem!"

[Colar aqui]

16. "E nesta maneira, Senhor, dou aqui a Vossa Alteza conta do que nesta vossa terra eu vi. E, se um pouco me alonguei, ela me perdoe, porque o desejo que tinha de vos tudo dizer, mo fez assim pôr pelo miúdo. [...] Beijo as mãos de Vossa Alteza. Deste Porto Seguro, da Vossa Ilha de Vera Cruz, hoje, sexta-feira, primeiro dia de maio de 1500.

Pero Vaz de Caminha"

TIRADENTES

Quando o Brasil foi descoberto, ele ficou pertencendo a Portugal.

Nas terras descobertas havia muito ouro. Portugal, além de cobrar impostos dos brasileiros, exigia que grande parte do ouro extraído das minas, fosse mandada para lá.

Joaquim José da Silva Xavier, o Tiradentes, e muitos outros, não concordavam com a cobrança de impostos e, então, em reuniões secretas, começaram a preparar um movimento para libertar Brasil de Portugal.

Esse movimento ficou conhecido como Inconfidência Mineira e teve Tiradentes como líder.

No entanto, os Inconfidentes foram traídos por Joaquim Silvério dos Reis, membro do grupo, que contou tudo ao governador de Minas Gerais. Todos foram presos e obrigados a deixar o Brasil.

Tiradentes, como chefe do movimento, foi condenado à morte. Ele foi enforcado na cidade do Rio de Janeiro, em 21 de abril de 1892, dia em que o homenageamos.

NOME: _____

DATA: ___/___/_____

16ª SEMANA

1. Complete as frases e preencha o diagrama de palavras:

A) Tiradentes nasceu em _____.

B) Seu nome era _____ _____ Xavier.

C) Ele foi o principal representante da _____ Mineira.

D) O nome Tiradentes veio de sua profissão, que era _____.

E) A data em que comemoramos sua morte é 21 de _____.

F) No regimento militar, Tiradentes tinha o cargo de _____.

G) O objetivo do Movimento dos Inconfidentes era a _____ do Brasil.

H) Tiradentes foi traído por Joaquim _____ _____, que era um dos participantes do movimento.

I) O imposto pago sobre o ouro era o _____.

J) A cobrança dos impostos atrasados era a _____.

3º ano – 2A EDIÇÃO

55

16ª SEMANA

NOME: _____

DATA: ____/____/_____

2. Observe os desenhos e escreva os planos dos Inconfidentes.

3. Complete as frases com uma das palavras do quadro:

| ouro | impostos | Inconfidência Mineira |
| Joaquim Silvério dos Reis | Tiradentes | enforcado |

A) O _____ era o metal precioso extraído na época.

B) Portugal cobrava muitos _____ dos garimpeiros e exigia que parte do ouro extraído fosse enviada para lá.

C) Movimento criado para libertar o Brasil de Portugal foi chamado de _____.

D) Tiradentes foi traído por _____, que era um dos membros do grupo.

E) Joaquim José da Silva Xavier era conhecido como _____.

F) Tiradentes foi _____ e depois esquartejado.

3º ano — 2A EDIÇÃO

NOME: _____

DATA: ___/___/_____

16ª SEMANA

4. Você, seu professor e seus colegas irão produzir um texto coletivo partindo das perguntas abaixo:

   A) Quem foi Tiradentes?
   B) Como foi a sua luta pela libertação?
   C) Como foi o final dessa história?

   _____
   _____
   _____
   _____
   _____
   _____
   _____

3º ANO — 2A EDIÇÃO

57

NOME: _____

DATA: ___/___/_____

ABOLIÇÃO DA ESCRAVATURA

Inicialmente, os colonizadores portugueses escravizavam os indígenas brasileiros. Com o passar dos anos, começaram a escravizar africanos, trazidos acorrentados em porões de navios. Chegando ao Brasil, eles eram leiloados e obrigados a trabalhar nas lavouras de cana-de-açúcar, nas minas e nas casas dos senhores de engenho.

Os escravizados tinham de obedecer a seus senhores e eram severamente castigados, principalmente por meio de açoites. Nas fazendas, moravam em senzalas, que era um alojamento que os abrigava.

A escravização foi um processo de extrema violência.

Muitos se revoltavam e fugiam de seus senhores, escondendo-se em lugares de difícil acesso, formando comunidades escondidas, chamadas de quilombos.

No dia 13 de maio de 1888, a Princesa Isabel assinou a Lei Áurea, colocando fim à escravização.

NOME: _____

DATA: ____/____/_____

17ª SEMANA

1. Complete as frases com uma das palavras do quadro:

chibata	Engenho	Açoitar	escravocrata
Escravatura		Escambo	tráfico

A) Chicote é o mesmo que _____.

B) _____ é a fazenda onde se planta cana-de-açúcar e se fabrica açúcar.

C) _____ é o mesmo que golpear com açoite.

D) O _____ era a pessoa a favor da escravatura.

E) _____ é o sistema social e econômico baseado na exploração de escravizados.

F) _____ é a troca de mercadoria ou serviços sem o uso de moedas.

G) O comércio marítimo de escravizados é chamado de _____.

2. Escreva alguns fatos importantes relacionados à escravidão.

_____
_____
_____
_____
_____
_____

3º ANO — 2A EDIÇÃO

17ª SEMANA

NOME: _____

DATA: ___/___/_____

3. Sobre os escravizados, responda:

A) De onde vinham?
_____

B) Como eram transportados?
_____

C) Como se chamava o lugar em que moravam?
_____

D) Em que trabalhavam?
_____

E) Como eram tratados?
_____
_____

F) Qual a lei que acabou com a escravização?
_____

G) Quem assinou essa lei?
_____

H) Como se denominavam as pessoas que eram contra a escravização?
_____

I) Fim da escravidão.
_____

J) Quem era o pai da Princesa Isabel?
_____

NOME: _____

DATA: ___/___/_____

18ª SEMANA

ZUMBI DOS PALMARES

Zumbi nasceu no Brasil em 1655, descendente de nobres de uma tribo africana. Nasceu livre, mas aos 7 anos foi capturado e entregue ao padre Antônio Melo, que lhe ensinou português, latim e álgebra.

Zumbi defendeu seu povo e a liberdade.

Dedicou sua vida à luta contra a escravização. Chegou a abrigar 20.000 escravizados em seu quilombo, que era muito atacado. No entanto, zumbi sempre resistia aos os ataques.

Zumbi era forte, inteligente e nunca temeu nada nem ninguém. Os portugueses ficavam impressionados com sua força e garra.

Em 1694, o bandeirante André Furtado conseguiu destruir o Quilombo dos Palmares. Zumbi fugiu, mas foi delatado por um companheiro, sendo capturado e morto. Sua cabeça foi cortada, no dia 20 de novembro de 1695.

Mesmo depois de morto, Zumbi continuou fazendo parte da história, feita de sangue, em busca de sonhos de liberdade e de ideais de justiça.

18ª SEMANA

NOME: _____

DATA: ____/____/_____

1. Observe o mapa e faça o que se pede:

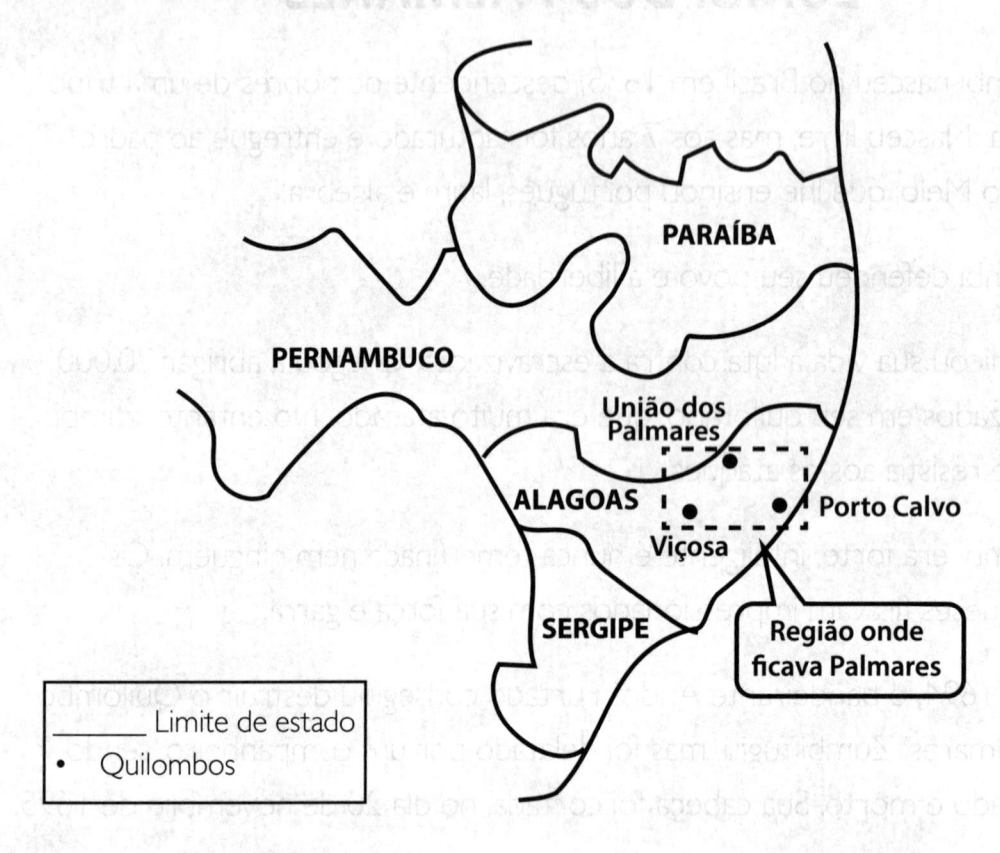

（Mapa mostrando Paraíba, Pernambuco, Alagoas com União dos Palmares, Viçosa, Porto Calvo, Sergipe — Região onde ficava Palmares）

_____ Limite de estado
• Quilombos

A) Escreva os locais onde eram encontrados os quilombos.

_____

_____

B) Em qual estado se concentrava os quilombos?

_____

C) Quem era chefe do Quilombo de Palmares?

_____

NOME: _____

DATA: ____/____/_____

18ª SEMANA

2. Observe o desenho e responda:

ZUMBI DOS PALMARES
DIA NACIONAL DA CONSCIÊNCIA NEGRA!
20 de novembro

DIA DE LUTA, LUTO E RESISTÊNCIA!

A) O que significa a palavra luto? _____

B) Dê o significado de:

• Morte: _____

• Luta: _____

• Luto: _____

C) Quando Zumbi nasceu? _____

D) Quando Zumbi morreu? _____

E) Escreva algumas características de Zumbi. _____
_____

3º ANO – 2A EDIÇÃO

63

3. Marque (V) para verdadeiro e (F) para falso:

A) ◯ Os negros contribuíram muito para a formação da cultura brasileira.
B) ◯ Zumbi defendia só seus direitos.
C) ◯ O Quilombo de Palmares era bem pequeno.
D) ◯ A contribuição dos negros para a cultura brasileira está presente na culinária, no vocabulário e na música.
E) ◯ Zumbi amou seu povo e viveu por ele.
F) ◯ O Quilombo de Palmares nunca foi atacado.

4. Podemos dizer que Zumbi era:

◯ Representante do Quilombo de Palmares.
◯ Um escravizado normal.
◯ Um guerreiro.
◯ Um perdedor.
◯ Muito inteligente.
◯ Muito fraco.

5. Você acha que ainda existe preconceito racial e escravidão no Brasil? Justifique sua resposta.

_____
_____
_____

LEIS ABOLICIONISTAS

Conheça mais sobre as leis abolicionistas.

- Lei Eusébio de Queirós – essa lei foi assinada em 1850. Ela proibiu definitivamente o tráfico de escravizados para o Brasil, consagrando para a história o nome de seu autor Eusébio de Queirós, na época ministro. Foi a primeira a causar um impacto significativo sobre a escravidão.

- Lei do Ventre Livre – aprovada em 1871, foi a primeira lei abolicionista da história do Brasil. De acordo com esta lei, os filhos de escravas, nascidos após a criação da lei, ganhariam liberdade, porém, o liberto deveria permanecer trabalhando na propriedade do senhor até os 21 anos de idade.

- Lei do Sexagenário – promulgada pelo governo brasileiro em 1885, essa lei dava liberdade aos escravizados com mais de 65 anos de idade.

- Lei Áurea – em 1888, a Princesa Isabel aboliu definitivamente a escravidão no Brasil. No entanto, a liberdade não garantiu aos ex-escravizados melhorias significativas em suas vidas. Como o governo não se preocupou em integrá-los à sociedade, muitos enfrentaram diversas dificuldades para conseguir condições de vida, como emprego, moradia, educação.

NOME: _____

19ª SEMANA

DATA: ___/___/_____

1. Leia e escreva à qual lei se refere:

   A) Seriam libertos os filhos de negros escravizados nascidos a partir de 1871.

   _____

   B) Assinada no dia 13 de maio pela Princesa Isabel, filha do imperador D. Pedro II, aboliu a escravidão.

   _____

   C) A partir dessa data estava proibido o comércio de negros escravizados da África para o Brasil.

   _____

   D) Seriam libertos os negros escravizados com mais de 60 anos. Muitos, porém, não chegavam a viver até essa idade.

   _____

2. Leia:

   > Os escravizados no Brasil eram representados como pessoas dóceis, dominados pela força e submissos aos senhores. Porém, muitos historiadores mostram a importância da resistência dos escravizados e o medo que os senhores sentiam diante dos quilombos, rebeldias, revoltas, atentados e fugas deles.

   - Agora, defina quilombo.

   _____
   _____
   _____

3º ano — 2A EDIÇÃO

NOME: _____

DATA: ____/____/_____

19ª SEMANA

3. Explique:

   A) Ideias abolicionistas.

   _____
   _____
   _____

   B) Carta de alforria.

   _____
   _____
   _____

4. Ligue a 2ª coluna de acordo com a 1ª coluna:

   Lei Eusébio de Queirós •   • 1885

   Lei do Ventre Livre •   • 1850

   Lei dos Sexagenários •   • 1888

   Lei Áurea •   • 1871

5. Complete a linha do tempo com as leis abolicionistas:

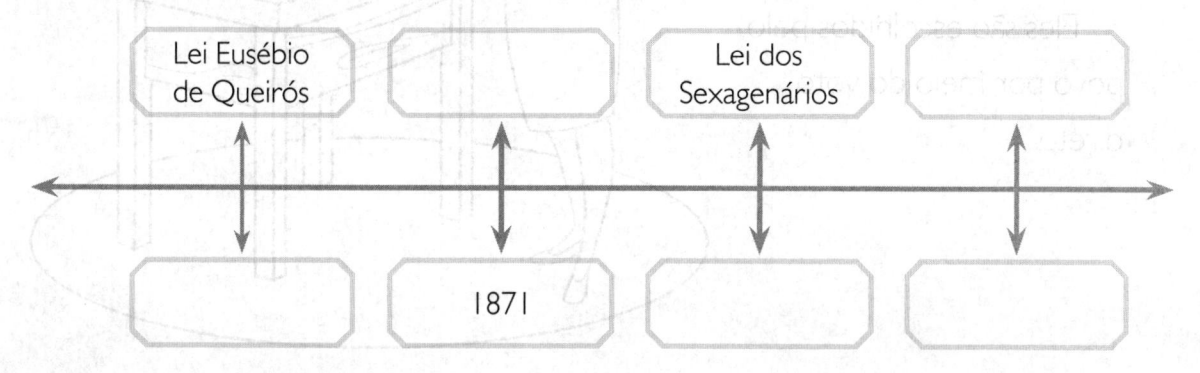

Lei Eusébio de Queirós		Lei dos Sexagenários	
	1871		

3º ano — 2A EDIÇÃO

67

NOME: _____

DATA: ___/___/_____

GOVERNO DO MUNICÍPIO

O prefeito governa o município. Ele trabalha na prefeitura.

São três os poderes que formam o governo municipal. Eles foram criados para que existisse democracia.

- Poder Executivo – é representado pela Prefeitura. Exercido pelo prefeito, vice-prefeito e secretários.
- Poder Legislativo – representado pela Câmara Municipal. Exercido pelos vereadores.
- Poder Judiciário – formado por juízes com a função de garantir o cumprimento das leis.

O prefeito, o vice-prefeito e os vereadores são as pessoas que administram o município. Eles são os representantes do povo.

Eles são escolhidos pelo povo por meio do voto direto.

NOME: _____

DATA: ___/___/_____

20ª SEMANA

1. Complete o diagrama de palavras:

   A) Poder que elabora as leis. _____

   B) Responsáveis pela elaboração de leis. _____

   C) Poder formado por juízes. _____

   D) Poder responsável em executar as leis. _____

   E) Governa o município. _____

   F) Faz com que as leis sejam cumpridas. _____

20ª SEMANA

NOME: _____

DATA: ___/___/_____

2. Identifique os poderes:

   EU ELABORO AS LEIS.   EU APLICO AS LEIS.   EU ADMINISTRO AS LEIS.

   [_____]   [_____]   [_____]

3. Escreva (V) para verdadeiro e (F) para falso. Depois, justifique suas respostas.

   O Poder Executivo tem como função:

   A) ◯ criar leis.
   _____

   B) ◯ executar leis.
   _____

   C) ◯ julgar as leis.
   _____

   D) ◯ julgar e elaborar as leis.
   _____

3º ano — 2A EDIÇÃO

NOME: _____

DATA: ____/____/_____

20ª SEMANA

4. Marque conforme a legenda:

   A – poder executivo.

   B – poder legislativo.

   C – poder judiciário.

   ☐ Presidente   ☐ Deputado federal   ☐ Senador

   ☐ Vereador   ☐ Juiz federal   ☐ Governador

   ☐ Prefeito   ☐ Deputado estadual   ☐ Juiz estadual

5. Complete o quadro:

Três poderes	No município	No estado	No país
Poder Executivo (administra de acordo com as leis)			
Poder Legislativo (elabora e fiscaliza a administração do poder executivo)			
Poder Judiciário (fiscaliza e faz cumprir as leis)			

3º ano – 2A EDIÇÃO

NOME: _____

DATA: ___/___/_____

21ª SEMANA

PROBLEMAS NOS MUNICÍPIOS

A administração municipal é a responsável pela vida da população. Ela é responsável por:

- Administrar os problemas locais.
- Complementar a legislação federal e a estadual no qual houver necessidade.
- Arrecadar impostos e tributos do município.
- Criar e organizar distritos.
- Organizar e preservar serviços públicos de interesse local.
- Manter programas de educação.
- Prestar atendimento à saúde da população.
- Organizar e planejar controle e ocupação do solo.
- Proteger o patrimônio histórico-cultural local.
- Registrar imóveis públicos.
- Asfaltar as vias locais.
- Fiscalizar o trânsito.
- Controlar e fiscalizar o transporte público.
- Manter a educação infantil e o ensino fundamental em suas escolas.
- Disponibilizar postos de saúde.
- Promover e fiscalizar a coleta de lixo domiciliar.
- Fiscalizar feiras livres.

São muitos os problemas do município, como inundações, buracos no asfalto, falta de remédios e de educação.

NOME: _____

DATA: ____/____/_____

21ª SEMANA

1. Complete as frases com uma das palavras do quadro:

| municipal   responsável   população |
| município   responsabilidade |
| cobrar   faltando   cidadãos |

A) A administração _____ é _____ por vários aspectos da vida da _____.

B) Diversos problemas que acontecem são de responsabilidade do _____.

C) É importante saber sobre a _____ do governo municipal.

D) Assim, será possível _____ quando estiver _____ algo para os _____.

2. Escreva o que você acha sobre os serviços prestados pelo município onde você mora em relação:

A) à saúde:

_____
_____

B) ao transporte público:

_____
_____

C) à saúde:

_____
_____

3º ano – 2A EDIÇÃO

21ª SEMANA

NOME: _____

DATA: ____/____/_____

3. Escreva as ações de responsabilidade do município, de acordo com as figuras:

_____

_____

_____

_____

_____

_____

NOME: _____

DATA: ___/___/_____

22ª SEMANA

O TRABALHO

O município progride com o trabalho dos cidadãos do campo e da cidade.

No campo, as pessoas trabalham na pecuária, criação de aves ou na agricultura.

Na cidade, as pessoas trabalham no comércio, nas indústrias ou prestando serviços, como é o caso dos médicos, advogados, engenheiros.

O trabalhador recebe um pagamento pelo trabalho que exerce. Esse pagamento pode ser feito por mês, por quinzena, por semana, por dia, por tarefa e até mesmo por hora.

O salário do trabalhador deve ser suficiente para comprar comida, roupas, remédios, pagar o aluguel ou prestação da casa própria, e, também, para custear os estudos e as diversões de toda família.

3º ano — 2A EDIÇÃO

22ª SEMANA

NOME: _____

DATA: ____/____/_____

1. Escreva o nome dos profissionais:

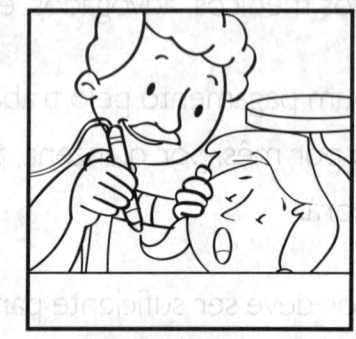

NOME: _____

DATA: ____/____/_____

22ª SEMANA

2. Escreva o que faz cada profissional do exercício anterior:

A) _____
B) _____
C) _____
D) _____
E) _____
F) _____
G) _____
H) _____
I) _____
J) _____
K) _____
L) _____

3. Encontre 6 profissões no diagrama e registre-as:

P	R	O	F	E	S	S	O	R	P
G	M	Y	O	P	B	D	J	R	L
J	A	R	D	I	N	E	I	R	O
C	A	N	T	O	R	J	M	P	G
K	V	E	L	P	I	N	T	O	R
O	O	P	A	R	I	J	C	N	C
Y	M	E	C	Â	N	I	C	O	O
N	O	K	F	E	P	L	I	R	E
T	E	C	P	A	D	E	I	R	O
P	C	D	L	S	T	F	O	A	H

3º ANO — 2A EDIÇÃO

22ª SEMANA

NOME: _____

DATA: ____/____/_____

4. Numere corretamente:

(A) Agricultor (B) Sorveteiro (C) Costureira (D) Professora

○ Rastelo ○ Roupas
○ Sorvete ○ Regador
○ Linha   ○ Caneta
○ Caderno ○ Tecido
○ Tesoura ○ Taça

NOME: _____

DATA: ____/____/_____

23ª SEMANA

SALÁRIO MÍNIMO

O salário mínimo assegura o pagamento do valor mínimo a todos os trabalhadores.

Ele é fixado por lei federal, em caráter nacional, e deveria garantir as necessidades vitais do trabalhador e de sua família com moradia, alimentação, educação, saúde, vestuário, higiene, transporte e previdência social.

O seu valor é reajustado periodicamente pelo Governo Federal para preservar o seu poder aquisitivo.

23ª SEMANA

NOME: _____

DATA: ___/___/_____

1. Responda:

   A) O que é salário mínimo?
   _____
   _____

   B) Qual o valor atual do salário mínimo?
   _____

   C) Você acha que, com um salário mínimo, um pai de família consegue manter uma casa? _____

   D) Quais as principais despesas de uma família?
   _____

   E) Faça um cálculo da despesa de sua casa em relação a:

   - Luz: _____
   - Água: _____
   - Gás: _____
   - Alimentação: _____
   - Telefone: _____
   - Transporte: _____
   - Aluguel ou prestação: _____
   - Cartão de crédito: _____
   - Vestuário: _____
   - Higiene pessoal: _____

   F) Qual foi o total de gastos?
   _____

   G) Se sua família recebesse um salário mínimo, daria para pagar as despesas? Justifique sua resposta.
   _____
   _____

3º ANO — 2A EDIÇÃO

NOME: _____

DATA: ____/____/_____

23ª SEMANA

H) Sobraria dinheiro para lazer? Justifique sua resposta.

_____

_____

I) Quanto você acha que deveria ser o salário mínimo de um trabalhador?

_____

2. Observe o gráfico e responda:

Salário mínimo
Valores nos últimos dez anos

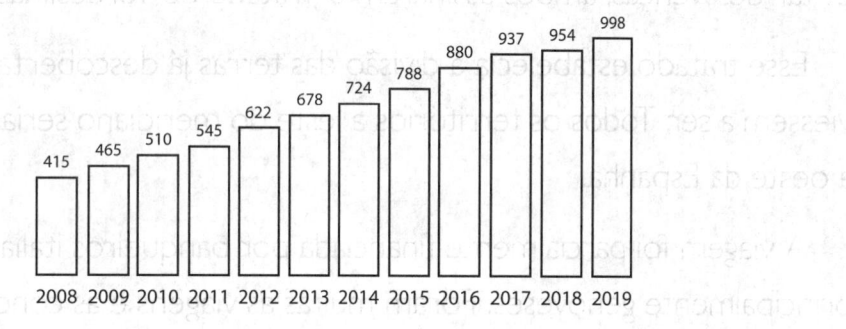

Ano	2008	2009	2010	2011	2012	2013	2014	2015	2016	2017	2018	2019
Valor	415	465	510	545	622	678	724	788	880	937	954	998

A) Quanto foi o aumento do valor do salário mínimo do ano em que estamos para o ano anterior?

_____

B) O que achou do aumento?

_____

C) Quanto aumentou de 2016 para 2017?

_____

D) Qual a jornada de trabalho de um trabalhador?

_____

3º ano — 2A EDIÇÃO

81

TRATADO DE TORDESILHAS

Os portugueses exploravam a África e tentavam chegar à Índia, enquanto os espanhóis liderados por Cristóvão Colombo chegavam, em 1492, ao continente americano.

No entanto, a Espanha também queria chegar às Índias e seus navegadores saíram rumo ao Oriente.

Portugal queria se apossar das terras descobertas pela Espanha e, para evitar desavenças, ambos assinaram o Tratado de Tordesilhas, em 1494.

Esse tratado estabelecia a divisão das terras já descobertas e das que viessem a ser. Todos os territórios a leste do meridiano seriam de Portugal e a oeste da Espanha.

A viagem foi parcialmente financiada por banqueiros italianos, principalmente genoveses. Foram muitas as viagens e as conquistas portuguesas. A Espanha, oitenta anos depois de Portugal, foi o segundo país europeu a se aventurar nas grandes navegações.

Em 1498, Vasco da Gama realizou a primeira viagem marítima dos portugueses às Índias. Contornou o continente africano e chegou a Calicute.

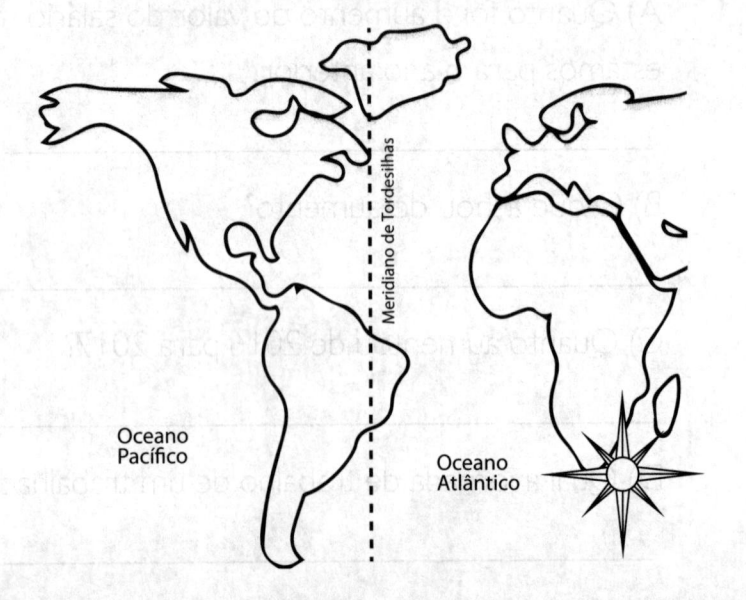

NOME: _____

DATA: ____/____/_____

24ª SEMANA

1. Observe o mapa e faça o que se pede:

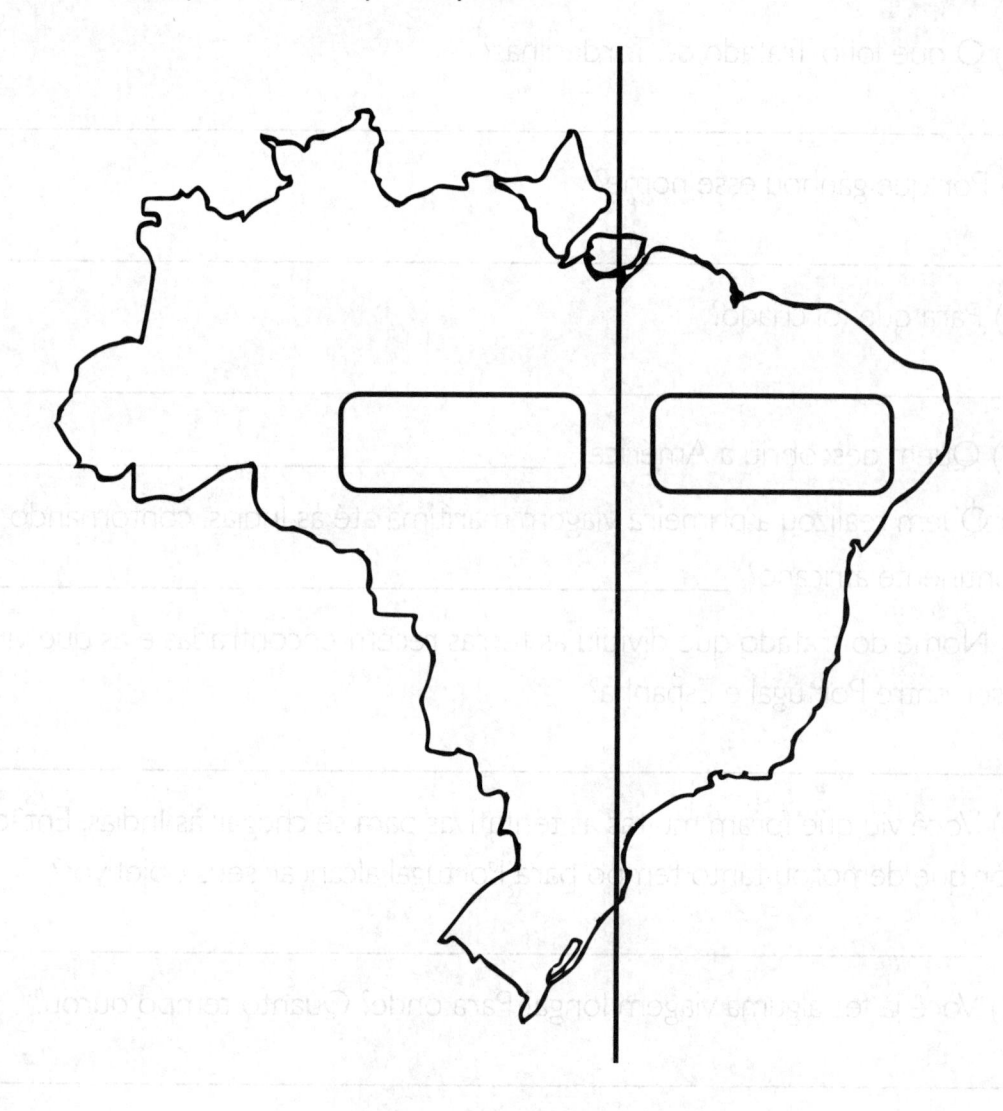

A) Cubra de azul o tracejado que divide as terras da Espanha e de Portugal.

B) Escreva no mapa as terras que se referem a Portugal e as que se referem à Espanha.

C) Pinte de amarelo as terras pertencentes à Espanha.

D) Pinte de verde as terras pertencentes a Portugal.

24ª SEMANA

NOME: _____

DATA: ____/____/_____

2. Responda:

A) O que foi o Tratado de Tordesilhas?
_____

B) Por que ganhou esse nome?
_____

C) Para que foi criado?
_____

D) Quem descobriu a América? _____

E) Quem realizou a primeira viagem marítima até as Índias, contornando o continente africano? _____

F) Nome do tratado que dividiu as terras recém-encontradas e as que viriam a ser entre Portugal e Espanha?
_____

G) Você viu que foram muitas as tentativas para se chegar às Índias. Então, por que demorou tanto tempo para Portugal alcançar seus objetivos?
_____

H) Você já fez alguma viagem longa? Para onde? Quanto tempo durou?
_____

I) Pesquise e responda:

- Quanto tempo dura, em média, uma viagem de avião entre Brasil e Portugal?
_____

- E de navio?
_____

NOME: _____

DATA: ___/___/_____

25ª SEMANA

AS CAPITANIAS HEREDITÁRIAS

O pau-brasil foi a única atividade praticada pelos comerciantes portugueses nas três primeiras décadas da história do Brasil.

Quando não havia mais pau-brasil numa determinada região, os portugueses abandonavam o lugar.

Os ataques franceses e espanhóis à costa brasileira e as dificuldades econômicas de Portugal fizeram com que o governo português adotasse o sistema de capitanias hereditárias.

Esse sistema consistia na divisão das terras de Portugal em 15 lotes e na doação delas para nobres e pessoas de confiança do rei.

Esses lotes eram chamados de capitanias hereditárias, porque não poderiam ser vendidas, apenas ser passadas de pai para filho.

3º ano – 2A EDIÇÃO

25ª SEMANA

NOME: _____

DATA: ___/___/_____

1. Em relação às capitanias, escreva:

   A) Nome dado aos lotes.

   _____

   B) Nome dos donos dos lotes.

   _____

   C) Quem eram os donatários?

   _____

   D) Número de capitanias.

   _____

2. Marque as opções corretas:

   Motivo que fez com que o governo português dividisse as terras em capitanias hereditárias:

   ☐ Estava cansado das terras brasileiras.

   ☐ Devido aos ataques constantes dos franceses e espanhóis.

   ☐ Porque tinham terras demais.

   ☐ Por causa das dificuldades econômicas.

3. Defina escambo:

   _____
   _____
   _____

NOME: _____

DATA: ____/____/_____

25ª SEMANA

4. Escreva no mapa o nome das capitanias.

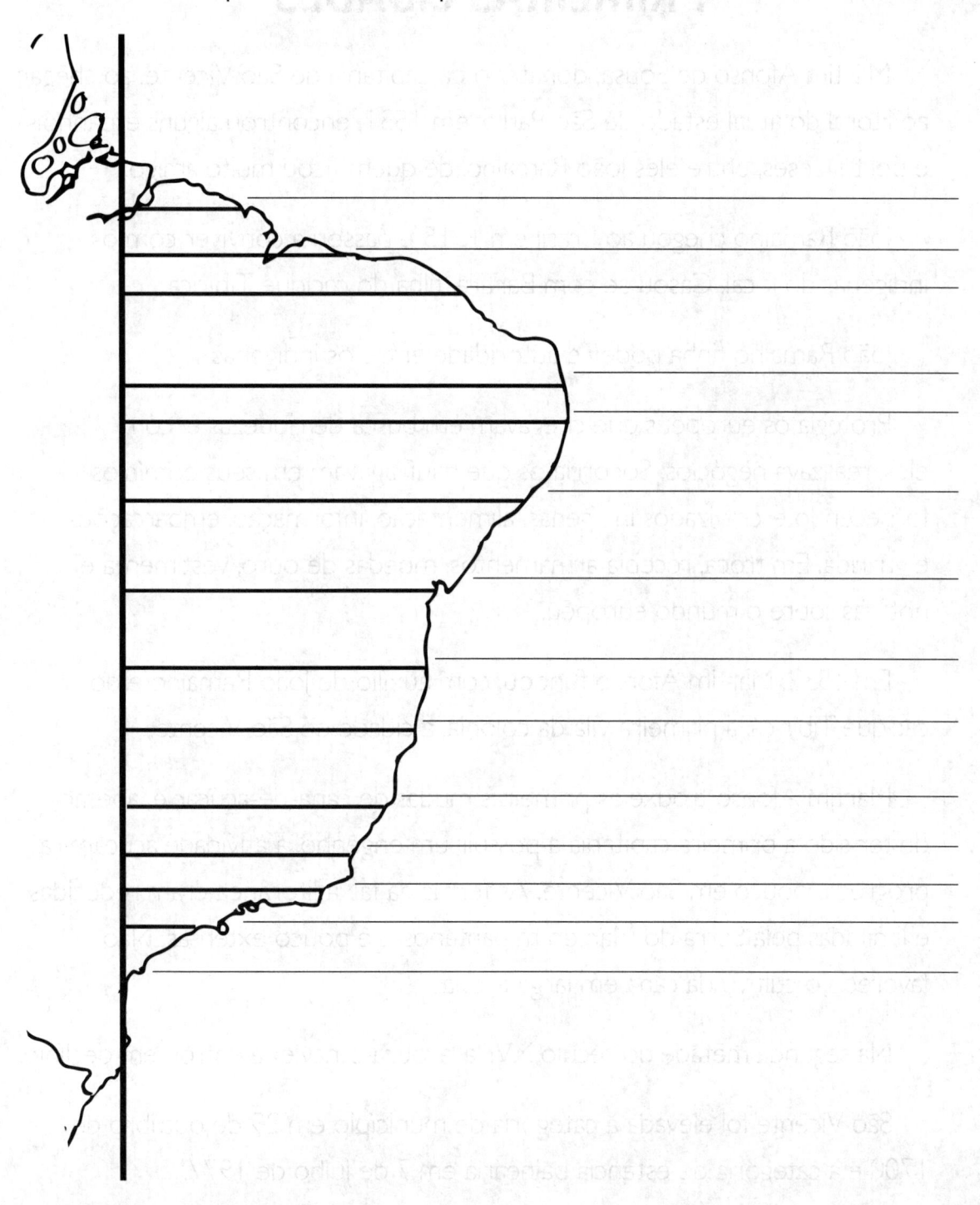

NOME: _____

DATA: ___/___/_____

PRIMEIRAS CIDADES

Martim Afonso de Sousa, donatário da capitania de São Vicente, ao chegar ao litoral do atual estado de São Paulo, em 1531, encontrou alguns espanhóis e portugueses, entre eles João Ramalho, de quem ficou muito amigo.

João Ramalho chegou ao Brasil em 1515 e passou a conviver com os indígenas do local. Casou-se com Bartira, filha do cacique Tibiriçá.

João Ramalho tinha poder e autoridade entre os indígenas.

Protegia os europeus que chegavam em busca de riquezas e, com eles, realizava negócios. Socorria os que naufragavam em seus domínios, fornecendo escravizados indígenas, alimentação, informação, embarcações e guarida. Em troca, recebia armamentos, moedas de ouro, vestimenta e notícias sobre o mundo europeu.

Em 1532, Martim Afonso fundou, com auxílio de João Ramalho e do cacique Tibiriçá, a primeira vila da colônia, a cidade de São Vicente.

Martim Afonso trouxe as primeiras mudas de cana-de-açúcar e, apesar de ter sido a primeira capitania a possuir um engenho, a atividade açucareira progrediu pouco em São Vicente. As terras da faixa litorânea eram reduzidas e limitadas pela Serra do Mar, eram pantanosas e pouco extensas. Não favorecia o cultivo da cana em larga escala.

Na segunda metade do século XVI, a lavoura canavieira entrou em declínio.

São Vicente foi elevada à categoria de município em 29 de outubro de 1700 e à categoria de estância balneária em 7 de julho de 1977.

NOME: _____

DATA: ___/___/_____

26ª SEMANA

1. Em relação à cana-de-açúcar, responda:

    A) Quem deu início ao seu cultivo no Brasil?
    _____

    B) Como foi a evolução da sua plantação em São Vicente?
    _____
    _____

    C) Como foi a evolução da sua plantação no Nordeste?
    _____

    D) Quem se tornou rico e poderoso com o sucesso do seu cultivo?
    _____

    E) Quais as consequências do seu cultivo no Brasil?
    _____
    _____
    _____

    F) Quais eram os usos do açúcar naquela época?
    _____
    _____
    _____

NOME: _____

DATA: ___/___/_____

26ª SEMANA

2. Complete as frases com uma das palavras do quadro:

| senzala | Pelourinho | casa-grande | engenho |

A) A _____ era a moradia dos escravizados.

B) _____ era o local onde os escravizados eram castigados.

C) Os senhores de engenho moravam na _____ _____.

D) A grande propriedade onde se cultivava cana-de-açúcar era chamada de _____.

3. A imagem a seguir é de Martim Afonso de Sousa. Preencha as informações sobre ele:

Nasceu: _____

Quem foi? _____

Esposa: _____

Primeira vila fundada? _____

Primeiro produto a ser cultivado por ele? _____

Falecimento: _____

Martim afonso de sousa

NOME: _____

DATA: ___/___/_____

26ª SEMANA

4. Crie um texto coletivo com seu(ua) professor(a) e colegas de sala, sobre engenhos, que tenham as palavras:

engenhos	colonial	casa-grande	senzalas
residência dos feitores	pelourinho		senhores de engenho
mantimento	caixotes	banheiros	escravizados

_____
_____
_____
_____
_____

GOVERNO-GERAL

Das 15 capitanias hereditárias, apenas duas prosperaram.

A tentativa dos colonos de escravizar indígenas e forçá-los a trabalhar na lavoura canavieira provocava reações dos nativos, inclusive guerras.

O rei de Portugal ficou sabendo das dificuldades que seus donatários estavam passando por aqui e ficou mais preocupado quando soube que as invasões da costa brasileira por estrangeiros, principalmente franceses, continuavam.

Gerou-se, assim, um dilema: ou o governo português decidia assumir diretamente o processo de colonização do Brasil ou acabaria perdendo suas novas terras para os franceses.

Isso levou o rei de Portugal a criar, em 1548, um sistema administrativo chamado governo-geral. O primeiro governador geral, nomeado pelo rei, foi Tomé de Souza.

Além de tropas e navios preparados para defender a costa, o primeiro governador-geral trouxe consigo os jesuítas, padres da chamada Companhia de Jesus, para catequizarem os indígenas.

1. Ligue corretamente:

Tomé de Sousa — Terceiro Governador-Geral

Duarte da Costa — Primeiro Governador-Geral

Mem de Sá — Segundo Governador-Geral

2. Marque (V) para verdadeiro e (F) para falso:

○ Havia sido descoberto muito ouro em terras brasileiras.

○ Os donatários estavam tendo dificuldades em administrar as capitanias.

○ O Brasil era alvo de invasões estrangeiras.

○ O rei de Portugal queria morar no Brasil.

○ O primeiro governador-geral foi Tomé de Sousa.

○ Os indígenas aceitavam a escravização em paz nas lavouras canavieiras.

NOME: _____

DATA: ___/___/_____

27ª SEMANA

3. Complete as frases utilizando o quadro de palavras:

| Pelourinho | Martim Afonso | Bartira |
| João Ramalho | Tomé de Sousa | Tibiriçá |

A) _____ era uma indígena e se casou com José Ramalho.

B) _____ foi o fundador da cidade de São Vicente.

C) _____ é um bairro de Salvador, tombado pelo patrimônio histórico.

D) _____ foi o fundador da cidade de Salvador.

E) _____ já morava com os indígenas quando Martim Afonso chegou ao Brasil.

F) _____ ajudou João Ramalho e Martim Afonso na fundação da capitania de São Vicente.

4. Dê resposta curtas neste **racha cuca**:

A) Primeiro governador-geral do Brasil? _____

B) Ano em que começou o primeiro governo-geral? _____

C) Nome da primeira cidade do governo-geral? _____

D) Tempo que Mem de Sá governou? _____

E) Quem Tomé de Sousa trouxe para catequizar os indígenas?
_____

MISSÃO JESUÍTA

O objetivo dos jesuítas era catequizar os indígenas que forneciam mão de obra livre e assalariada aos colonos. A princípio, os aldeamentos foram aprovados pela Coroa e pelos colonos.

A presença cada vez maior de colonos no planalto fez com que seus interesses entrassem em choque com os dos jesuítas.

Reclamações e queixas se tornaram constantes. Os colonos alegavam que a quantidade de indígenas fornecidos pelas aldeias não era suficiente, que muitos se negavam a trabalhar. Eles não queriam os jesuítas como intermediários, preferindo se relacionar diretamente com os indígenas.

Começaram a capturar e a escravizar os nativos, provocando protestos dos jesuítas e do próprio rei.

28ª SEMANA

NOME: _____

DATA: ____/____/_____

1. A atividade hoje será diferente. Para entendermos como foi a contribuição e atuação dos jesuítas, assista ao filme "A Missão" e responda às questões:

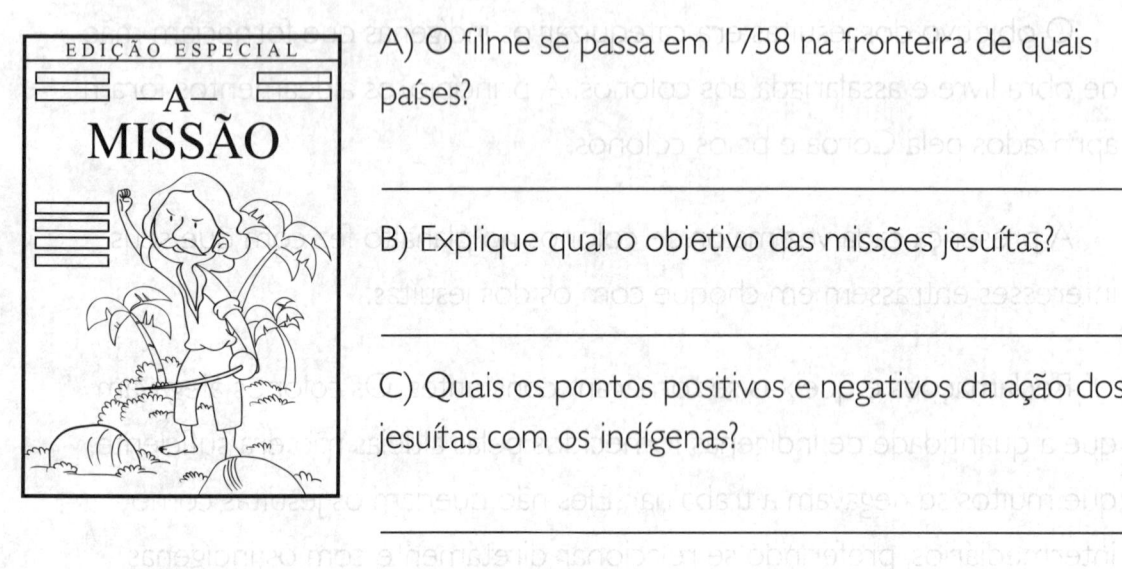

   A) O filme se passa em 1758 na fronteira de quais países?
   _____

   B) Explique qual o objetivo das missões jesuítas?
   _____

   C) Quais os pontos positivos e negativos da ação dos jesuítas com os indígenas?
   _____
   _____

   D) Por que o bandeirante Rodrigo matou seu irmão? Como foi a penitência? No que se tornou?
   _____
   _____
   _____

   E) Por que os índios tinham o costume de matar o segundo filho?
   _____

   F) Embora os espanhóis negassem, havia escravidão indígena no lado português e espanhol?
   _____

NOME: _____

DATA: ___/___/_____

28ª SEMANA

G) Por que Portugal e Espanha queriam que jesuítas fossem expulsos das colônias?

_____
_____
_____

H) Escreva uma crítica às missões dos jesuítas.

_____
_____
_____

I) Por que os índios romperam com a igreja e iniciaram uma guerra contra os colonizadores?

_____
_____
_____
_____

J) O que aconteceu com os jesuítas e índios?

_____
_____
_____
_____

K) O que ocorreu na batalha da missão de São Carlos?

_____
_____
_____
_____

3º ano – 2A EDIÇÃO

NOME: _____

DATA: ___/___/_____

29ª SEMANA

BRASIL AFRICANO

Os africanos não vieram para o Brasil de livre espontânea vontade, mas, sim, trazidos para trabalhar como escravos nas lavouras de cana-de-açúcar. Vinham de diferentes lugares da África, como Angola, Mali, Moçambique, Costa do Marfim, Guiné, Congo e Benin. Por isso, tinham costumes diferentes.

O comércio de pessoas da África para vendê-las na América foi um negócio altamente lucrativo, durante cerca de 300 anos.

Entenda como funcionava:

1. Os traficantes forneciam tabaco, aguardente, pólvora e, sobretudo, armas de fogo aos chefes africanos; em troca, exigiam prisioneiros de guerra.
2. De posse dessas armas, os chefes africanos faziam guerras e obtinham prisioneiros.
3. Os prisioneiros eram negociados com os traficantes, que os vendiam na América como escravos.

Nas fortalezas do litoral africano, homens, mulheres e crianças eram forçados a embarcar em navios pequenos e frágeis, conhecidos como navios negreiros. A viagem durava entre 30 e 45 dias. As condições na embarcação eram terríveis, a comida era de péssima qualidade e cada escravo tinha direito a comer e beber apenas uma vez por dia. A viagem era muito cansativa; os escravos chegavam ao Brasil confusos, sem saber onde estavam e muitas vezes doentes.

Nos mercados das atuais cidades brasileiras do Rio de Janeiro, Salvador, Recife e São Luís, os escravos recém-chegados eram examinados, avaliados e comprados. O homem valia duas vezes mais que a mulher e três vezes mais que uma criança ou idoso. Depois de comprados, podiam ser vendidos, alugados ou leiloados. Não tinham direitos, trabalhavam de 12 a 15 horas por dia e não podiam permanecer com o nome.

3º ano — 2A EDIÇÃO

NOME: _____

DATA: ____/____/_____

29ª SEMANA

Os escravos eram vigiados de perto por feitores, que os castigavam por motivo, surrados para obedecer às ordens de trabalho. Recebiam palmatórias, a gargalheira, a corrente com algemas e a máscara de flandres.

A maioria dos escravos recebia uma cuia de feijão e uma porção de farinha de mandioca ou milho. Raramente, recebiam toucinho, rapadura e charque. A alimentação era insuficiente e pobre em vitaminas, o que causava sérios problemas de saúde.

Onde havia escravidão havia revolta; nenhum grupo jamais aceitou ser escravizado. Desenvolveram várias formas de resistência, entre elas a capoeira, que foi usada como diversão e defesa, sendo hoje a dança reconhecida mundialmente.

1. Marque as opções corretas:

A) Como os africanos vieram para o Brasil no século XVI?

◯ Vieram de livre espontânea vontade.

◯ Foram trazidos para trabalhar como escravizados.

◯ Para trabalhar nas fazendas e receber salários.

B) De onde vieram os escravos que vieram para o Brasil?

◯ Do Japão.   ◯ De diversas regiões do Brasil.   ◯ Da África.

C) Trazer os africanos da África para vendê-los na América era um negócio:

◯ Lucrativo.

◯ Pouco lucrativo.

◯ Que deu muito prejuízo para o rei de Portugal.

3º ANO – 2A EDIÇÃO

29ª SEMANA

NOME: _____

DATA: ___/___/_____

2. Numere os passos sobre o funcionamento do tráfico de escravizados.

○ De posse dessas armas, os chefes africanos faziam guerra e obtinham prisioneiros.

○ Os prisioneiros eram negociados com os traficantes, que os vendiam na América como escravizados.

○ Os traficantes forneciam tabaco, aguardente, pólvora e, sobretudo, armas de fogo aos chefes africanos; em troca, exigiam prisioneiros de guerra.

3. Responda:

A) Por que os africanos eram escravizados?
_____
_____

B) Explique como acontecia o tráfico de escravos.
_____
_____

C) Como acontecia a travessia da África para o Brasil?
_____

D) Quanto tempo durava a travessia? _____

E) Como os africanos chegavam ao litoral depois dessa viagem cansativa?
_____
_____

F) Por que os escravos eram castigados? _____

3º ano — 2ª EDIÇÃO

NOME: _____

DATA: ____/____/_____

29ª SEMANA

G) Quais eram os castigos? _____
_____

H) Você acha que ainda existe escravidão no Brasil? Justifique em quais situações. _____
_____

4. Observe o mapa da África. Pesquise de que países vieram os africanos escravizados. Depois, pinte-os com lápis amarelo para colorir.

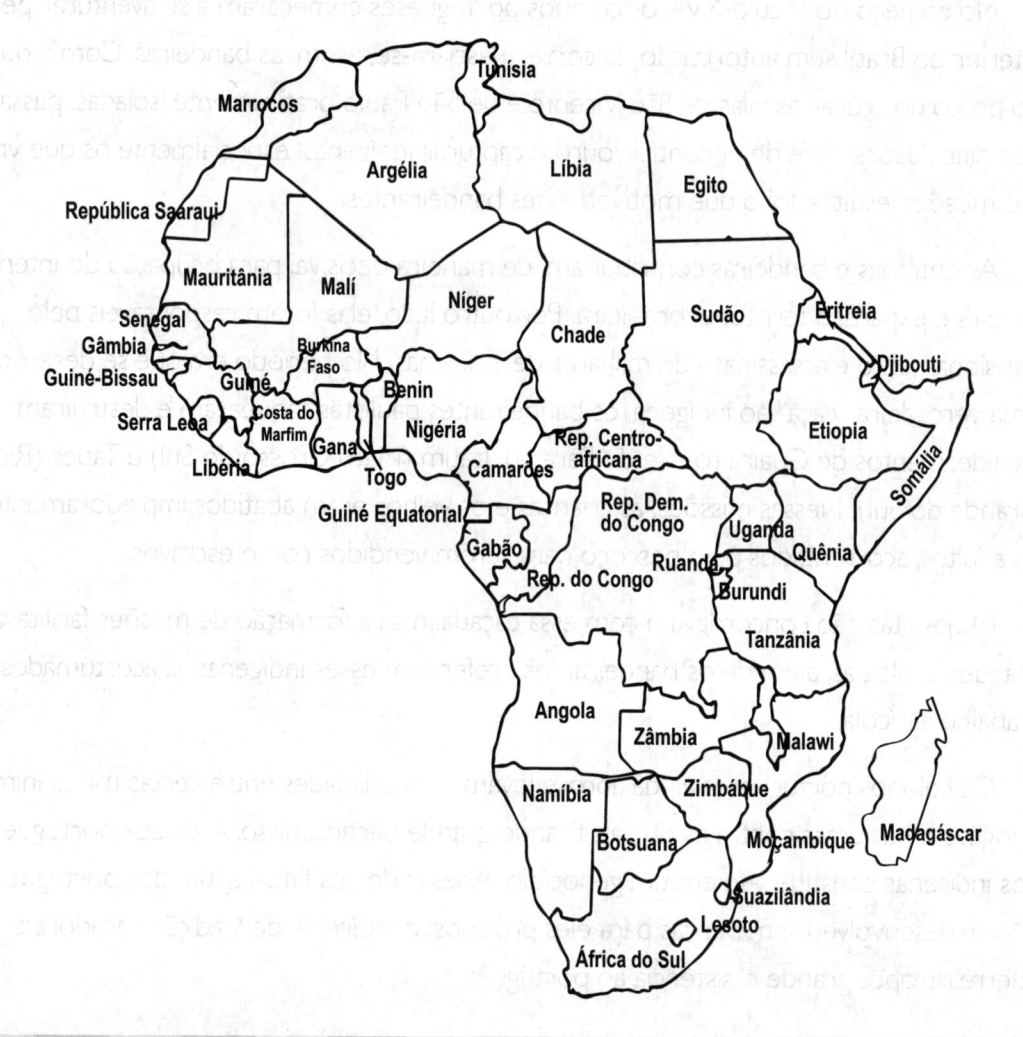

3º ano – 2A EDIÇÃO

101

NOME: _____

DATA: ___/___/_____

30ª SEMANA

ENTRADAS E BANDEIRAS

No século XVI, a mando da Coroa portuguesa, algumas expedições começaram a adentrar o interior do Brasil. Elas receberam o nome de entradas e tinham como características:

- Serem financiadas e autorizadas pelo rei de Portugal;
- Procuravam conhecer as terras e encontrar ouro;
- Combatiam indígenas que impediam o avanço dos portugueses;
- Respeitavam o limite do Tratado de Tordesilhas.

No começo do século XVII, os colonos portugueses começaram a se aventurar pelo interior do Brasil sem autorização da corte. Nasciam-se, assim, as bandeiras. Com a queda do preço do açúcar, as vilas de São Vicente e de São Paulo praticamente isoladas, passavam por dificuldades. A fé de encontrar ouro e capturar indígenas, especialmente os que viviam nas missões jesuítas, foi o que motivou esses bandeirantes.

As entradas e bandeiras contribuíram, de maneira decisiva, para ocupação do interior do país e expansão territorial brasileira. Por outro lado, elas foram responsáveis pelo aprisionamento e assassinato de milhares de indígenas. No período em que se desenvolveu uma verdadeira "caça" ao indígena, os bandeirantes paulistas saquearam e destruíram os aldeamentos de Guairá (oeste do Paraná), Itatim (Mato Grosso do Sul) e Tapes (Rio Grande do Sul). Nessas missões, as crianças e os velhos eram abatidos impiedosamente e os adultos, acorrentados pelo pescoço para serem vendidos como escravos.

Os jesuítas não concordavam com essa caçada, mas a formação de missões facilitava os ataques às aldeias, além de os bandeirantes preferirem esses indígenas, já acostumados ao trabalho agrícola.

Os colonos portugueses ainda aproveitavam as hostilidades entre certas tribos inimigas e jogavam-nas umas contra as outras, tirando grande partido disso. A caçada portuguesa aos indígenas constituiu-se em um genocídio. Apesar desses fatos, a luta dos portugueses não se desenvolveu sem perdas para eles próprios: o indígena, de tradição caçadora e guerreira, opôs grande resistência ao português.

NOME: _____

DATA: ____/____/_____

30ª SEMANA

1. Complete as frases e complete o diagrama de palavras:

A) _____ eram expedições organizadas por particulares.

B) As _____ são expedições que manifestaram o interesse em explorar o sertão brasileiro.

C) _____ era o nome dado aos participantes que não respeitavam o limite de Tordesilhas.

D) As bandeiras de caça foram organizadas para aprisionar os _____ _____.

E) As bandeiras de sertanismo de contrato receberam este nome com a finalidade de recuperar os _____ que fugiam.

F) Os _____ eram religiosos que não concordavam com o aprisionamento de indígenas.

G) Os escravizados africanos fugiam para comunidades distantes, chamadas de _____.

```
        A
    C | B |   | N | D |   |   |   |   |   |   |
      |   |
    D | N |   | Í |   |   |   | S |
      |   |
    F | E |   |   | Í |   |   |
      |   |
  G | Q | I |   |   |   |
      |   |
B | E |   |   |
      |   |
    E | S |   | R |   |   |   | Z |   |   |   |
```

3º ano – 2A EDIÇÃO   103

30ª SEMANA

NOME: _____

DATA: ___/___/_____

2. Observe a imagem do quadro de Debret. Nessa obra, vemos a batalha entre bandeirantes e indígenas das tribos de Piratininga.

Jean Baptiste Debret. *Soldados indígenas de Mogi das Cruzes*, 1827.

Agora, responda:

a) O que é retratado na pintura?

_____

b) Qual grupo possui armas mais poderosas?

_____

c) O que os bandeirantes queriam?

_____

d) O que, nessa tela, mostra que os indígenas não aceitavam pacificamente a escravização imposta pelos bandeirantes?

_____

_____

NOME: _____

DATA: ___/___/_____

30ª SEMANA

3. Responda:

A) Cite uma característica das entradas e uma das bandeiras.
_____
_____

B) O que as entradas e bandeiras tinham em comum?
_____
_____

C) De onde partiram as bandeiras e o que levou à sua formação?
_____

D) Quem foram os mais prejudicados com as bandeiras? Justifique sua resposta.
_____

E) O que foi a missão jesuítica?
_____
_____

F) Qual a relação da história do Brasil com a história da África? Justifique sua resposta.
_____
_____

G) Quais os nomes das expedições que foram organizadas para adentrar o interior do Brasil?
_____

FOLCLORE

Em 22 de agosto de 1846, o arqueólogo William John Thomas deu origem à palavra folclore. Ele uniu dois vocábulos antigos: **folk** – povo – e **lore** – conhecimento, definindo folclore como conhecimento do povo.

Cada povo tem, na sua bagagem cultural, características próprias de suas tradições. Essas tradições e os costumes criados pelo povo formam o folclore.

A formação do folclore brasileiro teve origem na mistura de três culturas: a indígena, a portuguesa e a africana. Devemos considerar, também, a chegada de outros povos imigrantes que muito contribuíram nos períodos colonial, imperial e republicano para enriquecer e ampliar nossas tradições.

As características do folclore são: popularidade, oralidade, anonimato e antiguidade.

NOME: _____

DATA: ____/____/_____

31ª SEMANA

1. Identifique os personagens folclóricos:

    A) É um menino negro de uma perna só que usa um gorro vermelho e aparece num redemoinho. _____

    B) Monstro que mistura formas humanas e de lobo. _____

    C) Ela é uma linda sereia, sua pele é morena, possui cabelos longos, negros e olhos castanhos. _____

    D) É uma criatura com cara de jacaré.
    _____

    E) Ele é baixinho, tem o cabelo de fogo e os dois pés virados para trás.
    _____

    F) Tem o corpo coberto de uma mula e não possui cabeça.
    _____

2. Identifique os personagens:

3º ano — 2A EDIÇÃO

31ª SEMANA

NOME: _____

DATA: ____/____/_____

3. E você, tem medo de algum dos personagens do exercício anterior?

◯ Sim ◯ Não

- Qual? _____

- Será que eles existem de verdade? _____

- Você tem medo de alguma coisa? Do quê? _____

Agora que falamos sobre os medos de cada um, crie sua história em quadrinhos com o tema:

TENHO MEDO DE...

108 3º ano — 2A EDIÇÃO

NOME: _____

DATA: ___/___/_____

32ª SEMANA

LENDAS FOLCLÓRICAS

1. Iremos montar um caderno de lendas. Você terá de recortar as capas e os textos e colá-los de acordo com sua lenda. Lembre-se, apenas a lateral deverá ser colada.

Saci-pererê

Lobisomem

3º ano – 2A EDIÇÃO

32ª SEMANA

NOME: _____

DATA: ____/____/_____

Iara

Mula sem cabeça

Curupira

3º ano — 2A EDIÇÃO

NOME: _____

DATA: ____/____/_____

32ª SEMANA

1

É uma lenda folclórica com origem nas tribos indígenas do Sul do Brasil.

Ele tem uma perna só, usa gorro vermelho e aparece num redemoinho. Sua característica marcante é ser peralta e brincalhão. Consegue se divertir tanto com animais quanto com pessoas.

Para pegar um saci, jogue uma peneira em um redemoinho, retire seu gorro mágico e prenda-o em uma garrafa.

2

É um monstro que mistura formas humanas e de lobo.

De acordo com a lenda, quando uma mulher tem sete filhas e depois um filho, ele será um lobisomem. Esse filho, ao completar treze anos, se transforma pela primeira vez, ficando metade homem, metade lobo.

Depois da primeira transformação, todas as noites de lua cheia, o rapaz se transforma em lobisomem e passa a visitar sete partes da região, sete pátios de igreja, sete vilas e sete encruzilhadas. Por onde passa, açoita cães, desliga luzes e uiva de forma aterrorizante.

Ao amanhecer, volta à forma humana.

3

É uma linda sereia que vive no rio Amazonas. Sua pele é morena, tem longos cabelos negros e olhos castanhos. Banha-se nos rios e canta uma melodia que os homens não resistem e pulam no rio. Iara já foi uma brava guerreira de uma tribo indígena. Recebia muitos elogios de seu pai. Seus irmãos a invejavam e planejaram matá-la. Sabendo dos planos, feriu seus irmãos gravemente e fugiu. Seu pai a encontrou e a jogou no rio. Os peixes a trouxeram para a superfície e a transformaram em uma linda sereia.

NOME: _____

DATA: ____/____/_____

32ª SEMANA

4

    É uma lenda do folclore brasileiro. Sua origem é desconhecida, mas ela é muito popular em todo o Brasil.

    A criatura é exatamente uma mula, mas não tem cabeça e solta fogo pelo pescoço. Possui em seus cascos ferraduras de prata ou aço e sua cor geralmente é marrom ou preta.

    De acordo com a lenda, qualquer mulher que namorasse um padre seria transformada em mula sem cabeça. A transformação acontece entre quinta e sexta-feira pela madrugada.

5

    É baixo com os pés virados para trás, cabelos vermelhos e grandes olhos expressivos.

    Vive nas florestas brasileiras. É protetor da natureza e costuma ficar enfurecido quando caçadores e homens adentram nas florestas com a intenção de destruir a vegetação, caçar animais ou fazer qualquer mal à flora ou à fauna.

NOME: _____

DATA: ____/____/_____

33ª SEMANA

PROVÉRBIO E DITADOS POPULARES

1. Observe os desenhos e escreva os provérbios.

33ª SEMANA

NOME: _____

DATA: ____/____/_____

2. Organize as palavras e forme provérbios.

    A) [late] [morde.] [Cão] [não] [que]

    _____

    B) [mania.] [sua] [louco] [Cada] [com]

    _____

    C) [na] [Patrão] [loja.] [fora,] [feriado]

    _____

3. Escreva os ditados na ordem certa.

    A) Quem semeia vento colhe dois pássaros voando.

    _____

    B) Água mole em pedra dura, não se olham os dentes.

    _____

    C) Filho de peixe, tanto bate até que fura.

    _____

    D) Em cavalo velho, peixinho é.

    _____

    E) Santo de casa tem 100 anos de perdão.

    _____

    F) Ladrão que rouba ladrão ri por último.

    _____

NOME: _____

DATA: ____/____/_____

33ª SEMANA

G) Mais vale um pássaro na mão àquele que colhe tempestade.

_____

H) Ri melhor quem não faz milagre.

_____

4. Ilustre os provérbios.

De grão em grão a galinha enche o papo.	Onde há fumaça, há fogo.

Não julgue um livro pela capa.	Antes só do que mal acompanhado.

3º ano – 2A EDIÇÃO

34ª SEMANA

NOME: _____

DATA: ____/____/_____

TUDO SOBRE FOLCLORE

1. Escreva:

Advinha

_____
_____
_____

Trava-língua

_____
_____
_____

Parlenda

_____
_____
_____
_____

3º ano — 2A EDIÇÃO

NOME: _____

DATA: ____/____/_____

34ª SEMANA

Quadrinha

_____
_____
_____

Artesanato

_____
_____
_____
_____
_____

Comida brasileira

_____
_____
_____
_____
_____

3º ano — 2A EDIÇÃO

34ª SEMANA

NOME: _____

DATA: ___/___/_____

RECEITA FOLCLÓRICA

1. Pesquise uma receita típica do folclore brasileiro e anote-a abaixo.

_____

Ingredientes

_____
_____
_____
_____
_____

Cole uma imagem da comida pronta aqui

Modo de preparo

_____
_____
_____
_____
_____
_____
_____

3º ano — 2A EDIÇÃO

NOME: _____

DATA: ___/___/_____

35ª SEMANA

FESTIVAL DE ADIVINHAS

Adivinha

A) Qual é o fogo que não se apaga com água?

_____

Adivinha

B) O que é, o que é: onde quer que se meta permanece no mesmo lugar?

_____

Adivinha

C) O que é, o que é: nunca está de boca fechada?

_____

Adivinha

D) Que ferramenta diz no nome que já foi?

_____

(O que é, o que é...)

35ª SEMANA

NOME: _____

DATA: ___/___/_____

Advinha

E) Quem é que, mesmo tendo casa, vive do lado de fora?

_____

Advinha

F) O que é que pula, mas não é bola, tem bolsa, mas não é mulher?

_____

Advinha

G) O que é que os elefantes têm que nenhum outro animal tem.

_____

Advinha

H) O que é que tira e fica para sempre?

_____

(O que é, o que é...)

NOME: _____

DATA: ___/___/_____

35ª SEMANA

Advinha

I) Qual é o peixe que não é casado?

_____

Advinha

J) O que é que tem em todas as estradas asfaltadas?

_____

Advinha

K) Qual o mês mais comprido do ano?

_____

Advinha

L) O que é que tem barba, mas não tem queixo; tem dentes, mas não tem boca?

_____

(O que é, o que é...)

Acertos: _____

Erros: _____

INDEPENDÊNCIA DO BRASIL

Antes de ser independente, o Brasil pertencia a Portugal.

Durante 13 anos, a Corte portuguesa ficou no Brasil. Depois, D. João VI voltou para Portugal, deixando como príncipe regente seu filho D. Pedro, governando o Brasil.

No dia 7 de setembro de 1822, voltando de uma viagem, estando às margens do rio Ipiranga, em São Paulo, D. Pedro recebeu uma mensagem de sua esposa, Dona Leopoldina, sobre as exigências da Corte para que ele também regressasse a Portugal. D. Pedro percebeu, então, que era hora de tornar o Brasil livre de Portugal.

Às margens do riacho Ipiranga gritou: "Independência ou morte!". E, a partir deste momento, transformou o Brasil na pátria brasileira.

D. Pedro foi, então, coroado Imperador do Brasil, com o nome de Pedro I, e 7 de setembro ficou conhecido como o Dia da Pátria, data em que o Brasil deixou de ser colônia e passou a ser independente.

36ª SEMANA

1. Complete as frases e preencha o diagrama de palavras.

   Atenção à acentuação das palavras!

   A) Muitos brasileiros lutavam pela _____ do Brasil.

   B) D. Pedro bradou "Independência ou morte!" às margens do riacho _____.

   C) O Brasil era _____ de Portugal.

   D) D. Pedro gritou: "Laços fora, _____!".

   E) Dom Pedro I foi o primeiro _____ do Brasil.

   F) A independência aconteceu sem guerra, em _____.

   G) _____ é o mês da Independência.

   H) Toda pátria tem um _____ nacional.

   I) Pátria somos _____ nós.

   J) A _____ de Dom Pedro I no Brasil também foi conhecida como o "Dia do Fico".

   K) A _____ nacional também é chamada de pendão da esperança e é um dos nossos símbolos.

   L) D. Pedro era um _____ regente.

36ª SEMANA

NOME: _____

DATA: ___/___/_____

M) O Brasil é nossa _____.

N) Antes de ser independente, o Brasil pertencia a _____.

NOME: _____

DATA: ___/___/_____

36ª SEMANA

2. Observe a imagem e responda:

A) Quem é o comandante da tropa? _____

B) Onde ele estava? _____

C) O que ele gritou? _____

D) Quando isso aconteceu? _____

E) A partir daí o que o Brasil se tornou? _____

F) A quem o Brasil pertencia antes de se tornar independente? _____

G) Que título o príncipe regente recebeu dos brasileiros? _____

36ª SEMANA

NOME: _____

DATA: ___/___/_____

3. Complete as frases com uma das palavras do quadro:

| Brasil | Portugal | Corte | colônia | Partido |

A) D. Pedro passou a governar o _____ após a partida de D. João VI para _____.

B) A intenção da _____ de Portugal era fazer com que o Brasil voltasse à condição de _____.

C) O objetivo do _____ Brasileiro era evitar que o Brasil voltasse à condição de colônia.

4. Marque (V) para verdadeiro ou (F) para falso:

A) ◯ A Corte portuguesa queria que o Brasil, que já era reino unido, voltasse à condição de colônia.

B) ◯ D. João proclamou a Independência do Brasil.

C) ◯ 15 de novembro é conhecido como o Dia da Pátria.

D) ◯ Após a Independência, o Brasil se tornou independente de Portugal.

E) ◯ D. Pedro foi coroado imperador do Brasil, com o nome de Pedro I.

- Agora, torne as frases falsas em verdadeiras.

_____

_____

126   3º ano — 2A EDIÇÃO

NOME: _____

DATA: ____/____/_____

37ª SEMANA

O BRASIL DE HOJE E O BRASIL DE ONTEM

O Brasil viveu dias de perseguições, pois Portugal não queria perder sua colônia. Nossos compatriotas mostraram-se valorosos e não temeram sua própria morte.

Depois de tanto tempo, perguntamos:

- Como está o Brasil hoje?
- Os políticos têm feito a parte deles?
- Nós, como brasileiros, temos feito a nossa parte?
- Podemos nos considerar uma pátria livre?
- Qual o Brasil que queremos para o futuro?

1. De acordo com as perguntas acima, elabore um texto coletivo com o(a) professor(a) e colegas com esse tema.

O país de ontem e o país de hoje

_____
_____
_____
_____
_____
_____
_____
_____

37ª SEMANA

NOME: _____

DATA: ____/____/_____

NOME: _____

DATA: ____/____/____

38ª SEMANA

SÍMBOLOS DA PÁTRIA

Os símbolos da pátria são:

Bandeira Nacional

Selo Nacional

Armas Nacionais

Hino Nacional

3º ANO – 2A EDIÇÃO

38ª SEMANA

NOME: _____

DATA: ___/___/_____

1. Identifique o símbolo e ligue-o ao texto explicativo correspondente.

A) Tem como finalidade autenticar os documentos oficiais.

B) Representa a glória, a honra e a nobreza do Brasil.

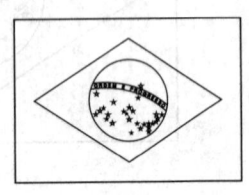

C) É tocado em solenidades oficiais do governo, nas escolas e eventos esportivos e culturais.

D) O verde representa nossas matas, o amarelo, o nosso ouro, o branco, a paz e o azul, o céu e as estrelas.

3º ano — 2A EDIÇÃO

NOME: _____

DATA: ____/____/_____

38ª SEMANA

2. Pinte a bandeira e escreva o que representa:

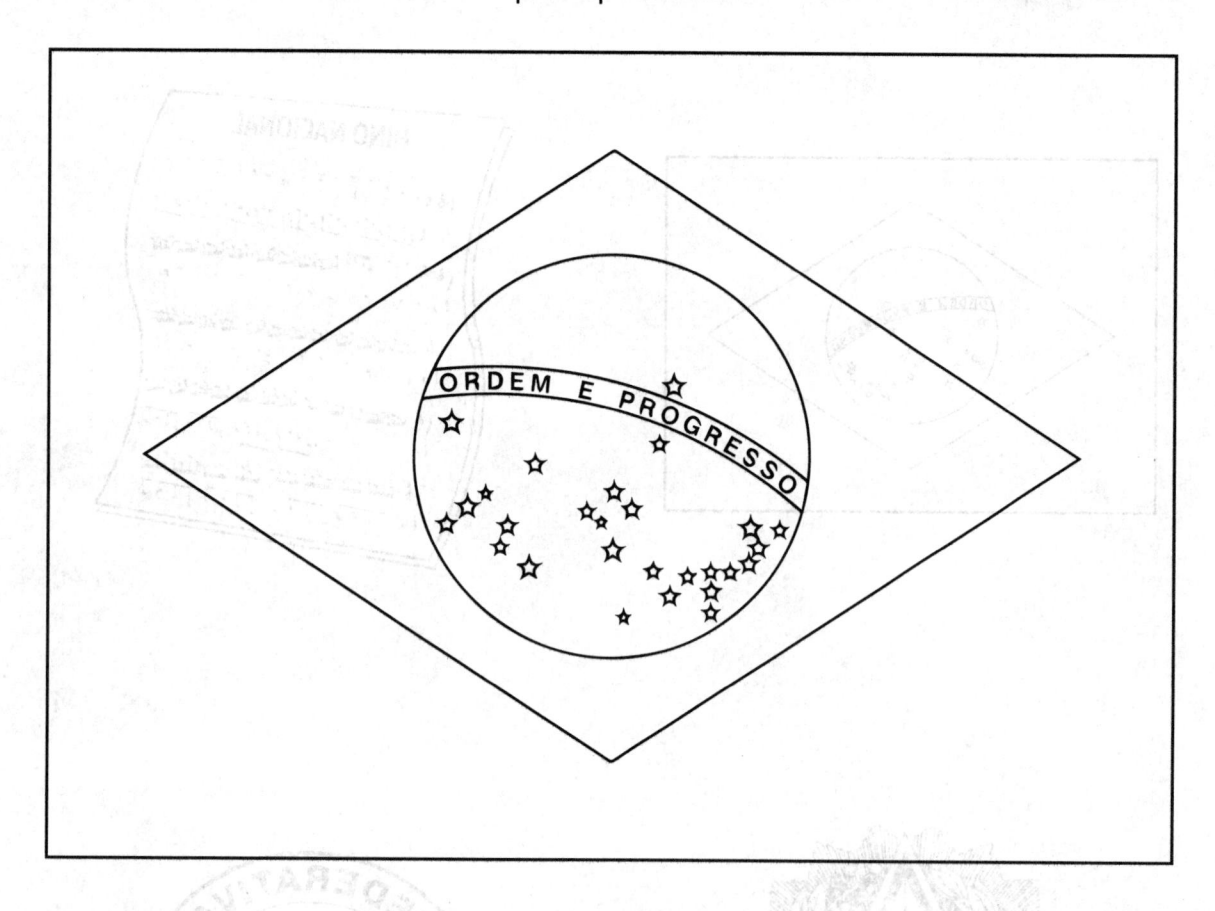

Verde: _____

Amarelo: _____

Azul: _____

Branco: _____

As estrelas: _____

38ª SEMANA

NOME: _____

DATA: ___/___/_____

3. Identifique os símbolos nacionais:

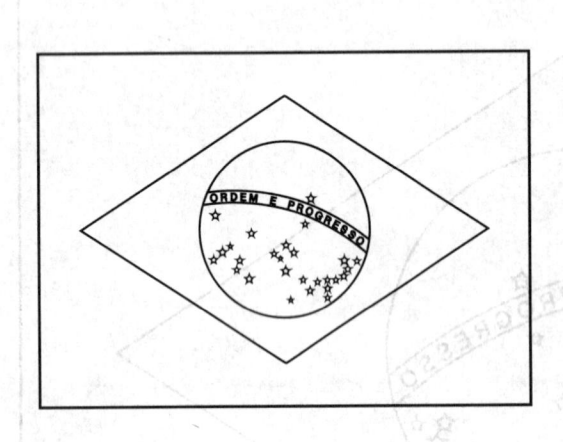

....

....

NOME: _____

DATA: ____/____/_____

39ª SEMANA

NOSSA PÁTRIA

1. Forme uma frase e ilustre com gravuras ou desenhos.

Pátria é:

Nossa terra:

Frase: _____

Nosso verde:

Frase: _____

39ª SEMANA

NOME: _____

DATA: ___/___/_____

Nosso céu:

Frase: _____
_____

Nossa água:

Frase: _____
_____

Nossos animais:

Frase: _____
_____

NOME: _____

DATA: ____/____/_____

39ª SEMANA

Nosso povo:

Frase: _____
_____

Pátria é amor, união e paz:

Frase: _____
_____

3º ano – 2A EDIÇÃO

NOME: _____

DATA: ___/___/_____

40ª SEMANA

PROCLAMAÇÃO DA REPÚBLICA

Quando o Brasil conseguiu a independência de Portugal, foi governado por imperadores no regime da Monarquia.

Monarquia é quando o chefe do governo é um rei ou imperador. Nela, o poder é passado de pai para filho.

Muitos brasileiros não estavam satisfeitos com o sistema de governo e queriam um representante que fosse eleito pelo povo.

O movimento republicano deu início à propaganda sobre a nova forma de governo: a República.

Em uma República, os representantes são eleitos diretamente pelo povo por meio do voto. No dia 15 de novembro de 1889, o Marechal Teodoro da Fonseca proclamou a República do Brasil.

Marechal Deodoro da Fonseca, com o apoio do movimento republicano, tornou-se o primeiro Presidente do Brasil.

A forma de governo do Brasil é o republicano, na qual o povo elege seus candidatos de modo direto por votação secreta.

NOME: _____

DATA: ____/____/_____

40ª SEMANA

1. Observe o calendário e faça o que se pede:

Mês: _____

setembro 2019

SEGUNDA	TERÇA	QUARTA	QUINTA	SEXTA	SÁBADO	DOMINGO
						1
2	3	4	5	6	7	8
9	10	11	12	13	14	15
16	17	18	19	20	21	22
23	24	25	26	27	28	29
30						

A) Escreva, no calendário acima, o mês da Proclamação da República.

B) Depois, pinte de vermelho o dia em que a República foi proclamada e registre.

_____

C) Quem proclamou a República?

_____

D) Defina Monarquia.

_____

E) Defina regime republicano.

_____

F) Escreva o nome do primeiro Presidente e do Presidente atual.

_____

3º ano – 2A EDIÇÃO

NOME: _____

DATA: ___/___/_____

40ª SEMANA

2. Pinte de verde, no mapa, o estado onde a República foi proclamada:

A) Qual foi o estado que você pintou?
_____

B) Pinte de amarelo os estados que fazem divisa com ele e registre.
_____

C) Dia em que a Família Real deixou o Brasil?
_____

D) Qual era o regime político antes da Proclamação?
_____

E) Qual foi o regime político adotado depois da Proclamação?
_____

138   3º ano – 2A EDIÇÃO

NOME: _____

DATA: ____/____/_____

40ª SEMANA

3. Complete as frases e preencha o diagrama de palavras:

A) _____ é o mês em que se comemora a Proclamação da República.

B) Marechal _____ proclamou a República em 1889.

C) Após a queda da _____, instalou-se um governo provisório: a República Federativa.

D) Terminou, em 1889, o regime imperial brasileiro, que durou sessenta e sete anos. O último imperador foi _____.

E) Deodoro da Fonseca era _____.

RESPOSTAS DAS ATIVIDADES

Págs. 10/11/12/13 — **1.** Pessoal. **2.** Pessoal. **3.** A) As famílias são formadas pelo pai, pela mãe e pelos filhos. B) Nossos parentes são nossos avós, nossos tios e nossos primos. C) Comunidade familiar é o primeiro grupo no qual fazemos parte. D) Pessoal. E) Pessoal. F) Pessoal. G) Pessoal. H) Pessoal. **4.** A) primo. B) parentes. C) papai. D) neto (ou neta). E) tia. **5.** Pintar o vovô / fazer um X na vovó / circular o papai / riscar a mamãe. **6.** Ligar: titio e irmão do papai / titia e irmã da mamãe / primo e filho da titia / vovô e pai da mamãe / vovó e mãe do papai.

Págs. 15/16/17 — **1.** A) Pessoal. B) Pessoal. **2.** Pessoal. **3.** A) a J) Pessoal.

Págs. 18/19/20 — **1.** Pessoal. **2.** A) Jairo e Rafaela. Eles representam o pai e a mãe. B) Bianca e Mateus. C) Casado com Bianca: Miguel / Casada com Mateus: Lara. D) Ísis, Paulo. E) Raul. F) Ísis, Paulo e Raul. G) Bianca, Miguel, Mateus e Lara. **3.** Pessoal.

Págs. 21/22/23 — 1 a 3. Pessoal.

Págs. 24/25 — **1.** Pessoal.

Págs. 27/28/29/30/31 — **1.** Toda criança tem direito ao amor e à compreensão por parte dos pais e da sociedade. / Toda criança tem direito a ser socorrido em primeiro lugar, em caso de catástrofes. / Toda criança tem direito a um nome e a uma nacionalidade. / Toda criança física ou mentalmente deficiente tem direito à educação e a cuidados especiais. / Toda criança tem direito a ser protegido contra o abandono e a exploração no trabalho. / Toda criança tem direito a especial proteção para o seu desenvolvimento físico, mental e social. / Toda criança tem direito a crescer dentro de um espírito de solidariedade, compreensão, amizade e justiça entre os povos. / Toda criança tem direito à educação gratuita / Toda criança tem direito ao lazer infantil. / Toda criança tem direito à igualdade, sem distinção de raça, religião ou nacionalidade. / Toda criança tem direito a alimentação e moradia. / Toda criança tem direito a assistência médica adequada. **2.** Pessoal.

Págs. 33/34/35 — **1.** A) mandioca. B) flecha. C) aldeia. D) urucum. E) curumim. F) natureza. G) redes. H) pajé. I) ocas. **2.** Os indígenas / Os indígenas foram os primeiros habitantes do nosso Brasil. / Antes do descobrimento, os indígenas viviam livres em nossas florestas. Toda tribo tem um guerreiro chamado de cacique e um chefe religioso chamado pajé. / Os indígenas moram em ocas construídas de paus e barro. / Eles usam o arco e a flecha para caçar e pescar. / Dormem em redes ou esteiras. / Alguns indígenas andam nus, outros usam tanga e cocar feitos de penas coloridas das aves. / Chamam o Sol de Jaguaraci e a Lua de Jaci.

Págs. 37/38 — **1.** A) Pessoal. B) Pessoal. C) Pessoal. D) Pessoal. **2.** Rabicó, Visconde de Sabugosa, Pedrinho, Emília. **3.** Pessoal.

Págs. 40/41/42 — **1.** A) abril. B) Cabral. C) Índia. D) Indígenas. E) Carta. F) Portugal. **2.** A) Monte Pascoal. B) 22 de abril de 1500. C) Pedro Álvares Cabral. D) Pero Vaz de Caminha. E) Os indígenas. F) Pessoal. **3.** A) Pero Vaz de Caminha. B) 22 de abril. C) Portugal. D) Pascoal. E) Páscoa. F) Indígenas. G) Madeira.

Págs. 44/45/46 — **1.** A) Para falar sobre a descoberta das novas terras. B) Pedro Álvares Cabral. C) Eram os indígenas. D) Eles estavam tentando proteger o território deles. E) Foi pacífico. Os indígenas eram dóceis e gentis. F) Como pardos, nus e armados com arco e flecha. **2.** A) Ele descreve rapidamente a paisagem avistada da nau (um grande monte, serras, planície com arvoredos) e detalha os habitantes da nova terra e o que traziam nas mãos. B) A descoberta de sinais de terra; o momento em que os portugueses veem a terra, as naus que se aproximam da costa e os navegantes quando percebem os habitantes nativos. **3.** Certamente os navegantes portugueses causaram espanto nos nativos com suas roupas pesadas, sua alimentação, suas regras de comportamento, sua religião, seus hábitos de higiene bastante precários em relação aos banhos diários que os indígenas tomavam nos rios. **4.** Pessoal.

Págs. 47/48/49/50/51/52 — **1.** Colar as figurinhas no álbum de acordo com a numeração.

Págs. 55/56/57 — **1.** A) Minas Gerais. B) Joaquim José da Silva. C) Inconfidência. D) dentista. E) abril. F) alferes. G) independência. H) Silvério dos Reis. I) quinto. J) derrama. **2.** Governo independente / construir universidades / criação de indústrias.

Págs. 59/60 — **1.** A) chibata. B) engenho. C) açoitar. D) escravocrata. E) escravatura. F) escambo. G) tráfico. **2.** Sugestão de resposta: Vinda dos africanos em navios negreiros para trabalhar como escravos / Eles eram vendidos e levados para às fazendas / Eram maltratados e viviam em senzalas / Os escravizados trouxeram a capoeira e o samba para nossa cultura. **3.** A) Vinham da África. B) Em navios negreiros. C) Senzalas. D) Na lavoura de cana-de-açúcar, na mineração e nas casas dos fazendeiros. E) Eram muito maltratados e recebiam severos castigos. F) Lei Áurea. G) Princesa Isabel. H) abolicionistas. I) 13 de maio de 1888. J) D. Pedro II.

Págs. 62/63/64 — **1.** A) Porto Calvo, Viçosa e União dos Palmares. B) Alagoas. C) Zumbi. **2.** A) Significa morte de Zumbi. B) fim da vida humana / combate corpo a corpo / sentimento de profunda tristeza pela morte de alguém. C) Zumbi nasceu no Brasil em 1655. D) Zumbi morreu no dia 20 de novembro de 1695. E) Forte, inteligente, tinha garra. **3.** A) V. B) F. C) F. D) V. E) V. F) F. **4.** Representante do quilombo de palmares / Um guerreiro / Muito inteligente. **5.** Pessoal.

Págs. 65/66/67 — **1.** A) Lei do Ventre Livre. B) Lei Áurea. C) Lei Eusébio de Queirós. D) Lei do Sexagenário. **2.** Quilombos são aldeias que refugiavam os escravizados que fugiam das fazendas e casas de família. Eles iam para os quilombos para não serem encontrados, pois, onde viviam, eles eram sempre explorados e sofriam maus-tratos. Lá ficavam escondidos nas matas, em lugares preferencialmente inacessíveis, como o alto das montanhas e grutas, e era onde então os escravizados se reuniam e conseguiam levar uma vida livre. **3.** A) São ideias que cultuam o fim da abolição da escravatura, por considerarem essa

RESPOSTAS DAS ATIVIDADES

prática algo desumano e degradante a humanidade. Os ideais abolicionistas foram trazidos pela coroa inglesa que estava altamente interessada no fim do tráfico negreiro e da escravidão. Defendiam o trabalho assalariado. B) A carta de alforria era um documento por meio do qual o proprietário rescindia seus direitos de propriedade sobre o escravizado. O escravizado liberto por esse dispositivo era habitualmente chamado de negro forro. **4.** Lei Eusébio de Queirós / 1850. Lei do Ventre Livre / 1871. Lei dos Sexagenários / 1885. Lei Áurea / 1888. **5.** Lei Eusébio de Queirós/1850. Lei do Ventre Livre/1871. Leis dos Sexagenários/1885. Lei Áurea/1888.

Págs. 69/70/71 — 1. A) Legislativo. B) vereadores. C) Judiciário. D) Executivo. E) prefeito. F) juízes. **2.** Eu elaboro as leis: Poder Legislativo / Eu aplico as leis: Poder Judiciário / Eu administro as leis: Poder Executivo. **3.** A) (F) Não. Essa é função do Poder Legislativo. B) (V) Isso. Essa é a tarefa do Poder Judiciário. C) (F) Não. Essa tarefa é do Poder Judiciário. D) (F) Não. Essas são tarefas dos Poderes Judiciário e Legislativo. **4.** Presidente (A). Vereador (B). Prefeito (A). Deputado federal (B). Juiz federal (C). Deputado estadual (B). Senador (B). Governador (A). Juiz estadual (C). **5.**

Três poderes	No município	No estado	No país
Poder Executivo (administra de acordo com as leis)	prefeito	governador	presidente
Poder Legislativo (elabora e fiscaliza a administração do poder executivo)	vereadores	Deputados estaduais	Deputados Federais e Senadores
Poder Judiciário (fiscaliza e faz cumprir as leis)	Não há	Juízes estaduais	Juízes federais

Págs. 72/73/74 — 1. A) municipal / responsável / população. B) município. C) responsabilidade. D) cobrar / faltando / cidadãos. **2.** Respostas pessoais. **3.** arrecadar impostos / realizar e fiscalizar coleta de lixo / controlar e fiscalizar feiras livres / organizar e prestar o transporte público / promover a saúde pública / asfaltar as vias locais.

Págs. 76/77/78 — 1. pedreiro / vendedora em comércio / coletor de lixo / motorista de ônibus / dentista / carteiro / caixa de banco / bombeiro / cozinheiro / médico / jardineiro / professora. **2.** A) pedreiro: constrói casas, prédios, faz reformas em moradias. B) vendedora: vende produtos ou coisas. C) coletor de lixo: responsável pela coleta de lixo. D) motorista: dirige veículos. E) dentista: trata dos nossos dentes. F) carteiro: entrega correspondências. G) caixa: cobra os produtos comprados. H) bombeiro: responsável em salvar vidas, apagar incêndios. I) cozinheiro: responsável pelo preparo comidas. J) médico: cuida da saúde das pessoas. K) jardineiro: cuida das plantas e jardins. L) professor: responsável por ampliar o conhecimento dos alunos. **3.**

P	R	O	F	E	S	S	O	R	P
G	M	Y	O	P	B	D	J	R	L
J	A	R	D	I	N	E	I	R	O
C	A	N	T	O	R	J	M	P	G
K	V	E	L	P	I	N	T	O	R
O	O	P	A	R	I	J	C	N	C
Y	M	E	C	Â	N	I	C	O	O
N	O	K	F	E	P	L	I	R	E
T	E	C	P	A	D	E	I	R	O
P	C	D	L	S	T	F	O	A	H

4. (A) rastelo. (C) roupas. (B) sorvete. (A) regador. (C) linha. (D) caneta. (D) caderno. (C) tecido. (C) tesoura. (B) taça.

Págs. 80/81 — 1. A) É o menor salário que uma empresa paga para um funcionário. Ele é estabelecido por lei e reavaliado todos os anos com base no custo de vida da população. B) Pessoal. C) Pessoal. D) Água, luz, telefone, alimentação, vestuário, transporte aluguel ou parcela da casa própria. E) Pessoal. F) Pessoal. G) Pessoal. H) Pessoal. I) Pessoal. **2.** A) O aumento foi de R$ 44,00. B) Pessoal. C) Resposta de acordo com o momento. D) de 8 a 9 horas diárias.

Págs. 83/84 — 1. A) a D).

(em amarelo) Espanha | Portugal (em verde)

2. A) Foi um acordo assinado entre Portugal e Espanha. B) Porque foi assinado na cidade espanhola de Tordesilhas. C) Para dividir as terras descobertas, e as que viriam a ser descobertas e assim evitar atritos. D) Cristóvão Colombo. E) Vasco da Gama. F) Tratado de Tordesilhas. G) Porque os navios eram lentos e as viagens marítimas demoravam vários meses e até anos. H) Resposta pessoal. I) de 8 a 10 dias. / de 5 a 10 dias.

Págs. 86/87 — 1. A) Capitanias hereditárias. B) Donatários. C) Nobres e pessoas de confiança do rei. D) 15 capitanias. **2.** Respostas corretas: Devido aos ataques constantes dos franceses e espanhóis. / Por causa das dificuldades econômicas. **3.** Era um sistema de trocas. Os portugueses ofereciam espelhos e outros objetos sem valor, em troca do trabalho indígena na derrubada do pau-brasil. **4.**

RESPOSTAS DAS ATIVIDADES

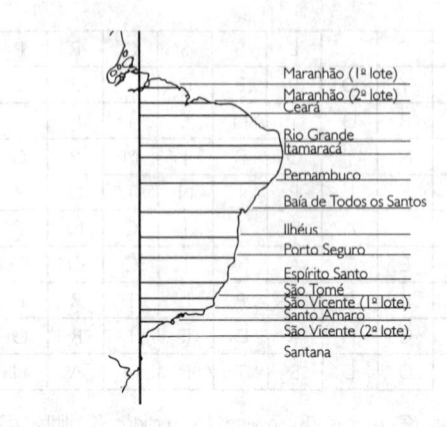

```
Maranhão (1º lote)
Maranhão (2º lote)
Ceará
Rio Grande
Itamaracá
Pernambuco
Baía de Todos os Santos
Ilhéus
Porto Seguro
Espírito Santo
São Tomé
São Vicente (1º lote)
Santo Amaro
São Vicente (2º lote)
Santana
```

Págs. 89/90/91 — 1. A) Martim Afonso de Sousa. B) Progrediu pouco em virtude de as terras da faixa litorânea serem reduzidas e limitadas pela Serra do Mar. Também eram pantanosas e pouco extensas, não favorecendo o cultivo. C) Teve grande desenvolvimento em virtude de o clima ser úmido e, por isso, o solo ser mais propício, além de haver grandes extensões de terras para o plantio. D) Os senhores de engenho e os proprietários de fazenda se tornaram ricos e poderosos com o sucesso do cultivo da cana-de-açúcar. E) O cultivo da cana-de-açúcar provocou, entre outros fatores: o aumento da procura pelo trabalho escravo; a cobiça dos estrangeiros, o aparecimento de vilas no litoral do Nordeste e o desenvolvimento da criação de gado. F) O açúcar, na época, era tomado com o vinho, servia como remédio e era importante produto no comércio mundial. **2.** A) senzala. B) Pelourinho. C) casa-grande. D) engenho. **3.** Nasceu: Vila Viçosa, Portugal, entre os anos de 1490 e 1500. / Quem foi? Foi um militar e nobre. / Esposa: Dona Ana Pimentel. / Primeira vila fundada? Vila de São Vicente. / Primeiro produto a ser cultivado por ele? cana-de-açúcar. / Falecimento: em Lisboa, em 1571. **4.** Engenhos / Os engenhos eram o tipo de moradia do Brasil no tempo colonial. Eram formados pela casa-grande, pelas senzalas, pela residência dos feitores e pelo pelourinho, local onde os escravizados eram castigados. / Os senhores de engenho moravam na casa-grande, onde não havia dispensa e os mantimentos eram guardados em caixotes. Lá também não tinham banheiros. Os moradores utilizavam uma pequena casa perto do rio e barris, que depois eram jogados na água pelos escravizados.

Págs. 93/94 — 1. Tomé de Sousa: Primeiro Governador-Geral / Duarte da Costa: Segundo Governador-Geral / Mem de Sá: Terceiro Governador-Geral. **2.** F / V / V / F / V / F. **3.** A) Bartira. B) Martim Afonso. C) Pelourinho. D) Tomé de Sousa. E) João Ramalho. F) Tibiriçá. **4.** A) Tomé de Sousa. B) 1549. C) Salvador. D) 14 anos. E) Jesuítas.

Págs. 96/97 — 1. A) Brasil, Paraguai, Argentina. B) Catequizar os indígenas. C) Eles usavam a música para conquistá-los, fazia a proteção deles, porém tentavam mudar sua cultura. D) Porque seu irmão era amante da sua esposa. Pagou a penitência trabalhando como jesuíta e com a aceitação dos indígenas se tornou um padre jesuíta. E) Para fugir com mais tranquilidade. F) Os dois países formavam um reino unido e os espanhóis escravizavam indígenas, comprando de portugueses. G) Porque o Marquês de Pombal de Portugal era contra a presença de jesuítas. H) Eles não escravizavam os índios, mas tentavam mudar sua cultura e faziam eles trabalharem como escravizados. I) Porque seriam obrigados a sair da missão dos jesuítas, irem para as florestas sem proteção dos jesuítas para serem perseguidos e escravizados. os jesuítas ficaram a favor dos indígenas. J) Os jesuítas foram expulsos de Portugal, Espanha, França, Itália, e da igreja católica, e a maioria dos indígenas foram mortos, escravizados e perderam a sua cultura. K) Os jesuítas se juntaram aos indígenas, mataram espanhóis e foram massacrados e mortos.

Págs. 99/100/101 — 1. Respostas corretas: A) Foram trazidos para trabalhar como escravizados. B) da África. C) Lucrativo. **2.** 2 / 3 / 1. **3.** A) Porque precisavam de mão de obra para trabalhar na lavoura de cana-de-açúcar. B) Os traficantes compravam os chefes africanos com tabaco, pólvora e armas de fogo. Com as armas, os chefes faziam guerra e obtinham os prisioneiros que eram negociados com os traficantes e vendidos na América como escravos. C) Em navios negreiros. D) Entre 30 e 45 dias. E) Como as condições na embarcação eram péssimas, a comida, pouca e recebiam um copo de água a cada dois dias, ele chegavam ao Brasil confusos, sem saber onde estavam e muitas vezes doentes. F) Para obedecer às ordens de trabalho. G) Recebiam palmatórias, a gargalheira, a corrente com algemas e a máscara de flandres. H) Pessoal. **4.** Devem ser pintados: Angola, Mali, Moçambique, Costa do Marfim, Guiné, Congo e Benin.

Págs. 103/104/105 — 1. A) Bandeiras. B) Entradas. C) Bandeirantes. D) indígenas. E) escravizados. F) jesuítas. G) quilombos. **2.** A) A invasão de bandeirantes à tribo indígena. B) O grupo dos bandeirantes. C) Capturar indígenas para escravizá-los. D) A luta entre eles e a resistência dos indígenas em se renderem. **3.** A) As entradas eram financiadas e autorizadas pelo rei de Portugal. As bandeiras eram expedições organizadas por colonos portugueses, sem autorização da corte, com o objetivo de encontrar ouro e capturar indígenas. B) Ambas desbravavam terras desconhecidas e buscavam encontrar ouro e pedras preciosas. C) Partiam principalmente de São Paulo. E tinham esperança de encontrar ouro e de capturar indígenas para escravizá-los. D) Os indígenas, porque eram abatidos impiedosamente ou aprisionados para serem escravizados. E) Tratava-se da formação de aldeamento ou missões para promover a catequese dos nativos, além de transformá-los em mão de obra livre. F) São histórias ligadas por mais de três séculos de escravidão, pela mistura de culturas que foram passadas de geração à geração. G) Entradas e bandeiras.

Págs. 107/108 — 1. A) saci. B) lobisomem. C) Iara. D) Cuca. E) curupira. F) mula sem cabeça. **2.** boitatá / boto / Iara. **3.** Pessoal.

Págs. 109/110/111/112 — 1. Saci: 1 / Lobisomem: 2 / Iara: 3 / Mula sem cabeça: 4 / Curupira: 5.

Págs. 113/114/115 — 1. A) Não se deve dar pérolas aos porcos. B) Quem não chora não mama. C) Galinha velha é que dá caldo bom. D) O sábio não diz o que sabe, o tolo não sabe o que diz. E) Tem muito tempo aquele que não perde. F) De médico é louco, todo mundo tem um pouco. G) Olho por olho, dente por dente. H) Quem tem

RESPOSTAS DAS ATIVIDADES

boca vai a Roma. I) Boi solto lambe-se todo. **2.** A) Cão que late não morde. B) Cada louco com sua mania. C) Patrão fora, feriado na loja. **3.** A) Quem semeia vento colhe tempestade. B) Água mole em pedra dura tanto bate até que fura. C) Filho de peixe, peixinho é. D) Em cavalo dado não se olha os dentes. E) Santo de casa não faz milagre. F) Ladrão que rouba ladrão tem 100 anos de perdão. G) Mais vale um pássaro na mão que dois voando. H) Quem ri por último ri melhor. **4.** Pessoal.

Págs. 116/117 — **1.** Pessoal.

Pág. 118 — **1.** Pessoal.

Págs. 119/120/121 — A) Fogo da paixão. B) Nariz. C) Gargalhada. D) Foice. E) Botão. F) Canguru. G) Elefantinhos. H) Fotografia. I) Namorado. J) Asfalto. K) Fevereiro. L) Espiga de milho.

Págs. 123/124/125/126 — **1.** A) independência. B) Ipiranga. C) colônia. D) soldados. E) imperador. F) paz. G) Setembro. H) hino. I) todos. J) permanência. K) bandeira. L) príncipe. M) pátria. N) Portugal. **2.** A) D. Pedro I. B) Às margens do riacho Ipiranga. C) "Independência ou morte!". D) No dia 7 de setembro de 1822. E) O Brasil se tornou independente. F) Pertencia a Portugal. G) D. Pedro I. **3.** A) Brasil / Portugal. B) Corte / colônia. C) Partido. **4.** A) (V). B) (F). C) (F). D) (V). E) (V). B) D. Pedro proclamou a independência do Brasil. / C) 7 de setembro ficou conhecido como o Dia da Pátria.

Págs. 127/128 — **1.** Pessoal.

Págs. 130/131/132 — **1.** A) Selo Nacional. B) Armas Nacionais. C) Hino Nacional. D) Bandeira Nacional. **2.** Verde: nossos campos e nossas florestas. Amarelo: nossas riquezas. Azul: nosso céu e nossos rios. Branco: a paz. As estrelas: estados brasileiros. **3.** Bandeira Nacional / Hino Nacional / Armas Nacionais / Selo Nacional.

Págs. 133/134/135 — **1.** Pessoal.

Págs. 137/138/139 — **1.** A) Setembro. B) No dia 15 de novembro de 1889. C) Marechal Deodoro da Fonseca. D) Forma de governo onde o chefe do governo é um rei ou imperador. O poder é passado de pai para filho. E) Forma de governo em que os representantes são escolhidos diretamente pelo povo por meio do voto. F) Primeiro Marechal Deodoro da Fonseca. Atual: resposta de acordo com o momento. **2.** A) Rio de Janeiro. B) Espírito Santo, Minas Gerais e São Paulo. C) No dia 17 de novembro. D) Monarquia. E) Regime republicano. **3.** A) Novembro. B) Deodoro da Fonseca. C) Monarquia. D) Dom Pedro Segundo. E) Marechal.